PHILIPPE DE MÉRIC

Officier de l'Ordre National du Mérite

YOGA POUR CHACUN

Illustrations de Michel de Séréville

Publié au Québec par
les Éditions Frémontel Inc., Montréal.
Mise en marché en librairie par
les PUBLICATIONS GLOBE D'OR

© E.C.H.G., 1989

LP47

Dépôts légaux : 2ième trimestre 1993

SOMMAIRE

PRÉFACE

Il y a des rencontres qui comptent plus que d'autres. Celle que j'ai faite avec le livre «Yoga pour Chacun» a orienté définitivement mon destin. Comme moi, des millions de personnes ont pu lire cet ouvrage qui les a conseillés, qui les a guidés pas à pas dans la découverte du vrai Yoga. Plus je consulte et relis ce livre, et plus je me rends compte que l'essentiel pour la compréhension du Yoga y est contenu. Comme le veut le Yoga, tout y est mentionné, du quotidien aux sphères les plus subtiles. Grâce à son pragmatisme, nulle querelle d'école n'interfère dans les lignes de ce livre. Chacun s'y reconnaît. Chacun peut à sa mesure s'exercer et avancer dans la voie du Yoga. Pour certains, l'année 1968 résonne comme une année de transformation importante, ce qu'elle a été effectivement au plan national ! Pour moi, l'année 68 signifie la naissance de cet ouvrage qui a permis à tant de personnes de s'engager et de découvrir les bienfaits de la pratique du Yoga. C'est pourquoi, il était grand temps que cette oeuvre puisse enfin être rendue au public. Nous sommes heureux grâce à la réédition de notre ami Philippe de Meric. A nouveau des millions de personnes pourront bénéficier de la science et de la sagesse millénaire transmise par le Yoga et que nous pourrons redécouvrir en chacun de nous.

C'est ainsi que les objectifs et les moyens sont clairement abordés dans cet ouvrage. Petit à petit, Philippe de Meric nous transmet les conseils ancestraux du Yoga, les exercices physiques, les exercices sur le souffle, sans omettre les exercices psycho-sensoriels qui constituent la richesse de l'enseignement et le génie du Yoga. Cet ensemble qui constitue le Yoga s'adresse à l'ensemble de la personne pour lui permettre d'atteindre progressivement l'équilibre dans sa vie physique, énergétique, mentale, et spirituelle. Avec le recul du temps, nous pouvons constater que l'utilisation de l'écrit a aidé un grand nombre de pratiquants du Yoga en les accompagnant tout comme leur professeur. C'est au coeur même de l'expérience de la vie que vous allez maintenant vous retrouver en continuant la lecture de «Yoga pour Chacun». Nous vous souhaitons de vivre intensément cette aventure que tant d'autres ont commencée.

Docteur Lionel COUDRON
Président de l'Association Médecine et Yoga.
Président pour l'Europe de la Word Federation of
Yoga, Ayurveda and Traditional Medecine.

AVANT-PROPOS

Autour des origines du yoga

Parce que du temps où les dieux vivaient encore parmi nous, un poisson enchanté écouta Shiva enseigner les secrets du yoga à son épouse la déesse Parvati, les hommes connurent ce moyen d'évoluer.

Le poisson indiscret, imprégné de cette haute science, fut aperçu par Shiva qui le chassa. Il nagea longtemps, longtemps, pour finalement s'échouer sur un rivage de l'Inde.

En abordant cette terre, il se transforma en homme par le miracle du yoga.

Recueilli par les indigènes de cette contrée, ceux-ci le nommèrent Matsyendra, Seigneur des Poissons. Pour les remercier de leur accueil, il leur enseigna les postures du yoga. C'est ainsi que l'une d'entre elles, la *Matsyendrasana,* porte le nom de l'un des fondateurs légendaires de cette éducation.

S'appuyer sur une légende pour rechercher les origines d'une méthode prouve qu'elles se perdent dans les brumes d'un passé extrêmement lointain. Cependant, ce conte nous apporte de nombreux enseignements.

Tout d'abord, si le mot yoga, qui signifie "jonction" en sanscrit, est bien d'origine indo-aryenne, la méthode elle-même, de provenance étrangère, a été transmise à l'Inde qui l'a assimilée à ses propres façons de penser.

Il y a 3 000 ans, 6 000 ans, 10 000 ans... des navigateurs (le poisson) rescapés peut-être d'un cataclysme (l'Atlantide, ou autre contrée disparue) apportèrent cette façon de vivre.

En outre, on voit aussi qu'il s'agit d'un enseignement secret, transmis de bouche à oreille, et qu'il resta longtemps la possession exclusive d'une élite (les dieux).

Enfin, il apparaît qu'il répond à ce que l'homme cherche depuis toujours, la maîtrise des éléments hostiles, le moyen de se transformer, de se dépasser (le poisson devient un homme, l'être le plus perfectionné de la création).

Plusieurs déductions découlent de cette façon d'envisager les origines du yoga.

S'il n'est pas indien, on ignore totalement ses sources réelles. De fait, il s'est intégré aux doctrines existantes en Inde en devenant l'un des six grands systèmes philosophiques de cet immense pays.

Si l'on retrouve un peu partout des similitudes, des analogies qui font penser au yoga, on ne peut être certain d'une parenté ou d'une filiation réelle.

Mais, cette discipline, qui se veut libre de toute attache religieuse, est restée suffisamment souple et vivante pour répondre aux exigences de l'âme humaine en général.

Une élite en a, pendant des siècles, conservé jalousement le secret, pour en protéger la pureté. Cela explique jusqu'à un certain point que, malgré la valeur de cette méthode, le pays qui en est le dépositaire n'en ait pas mieux profité, ni même prouvé l'efficacité par une évolution économique et sociale à quoi le yoga ne fait nullement obstacle.

Cette doctrine, malgré tout, s'est répandue, et il arriva ce qui arrive presque toujours : une déformation regrettable, au travers de laquelle l'Occidental juge le yoga.

Lequel d'entre nous n'a pas esquissé un sourire ironique, ou éprouvé une secrète admiration lorsque la presse nous vante les prouesses acrobatiques ou mystérieuses des yogis ?

On nous informe périodiquement que des grands de ce monde, des vedettes de l'écran ou de l'actualité, des sportifs, s'adonnent ouvertement ou discrètement à de curieuses façons de s'asseoir, de respirer, de s'étirer, de s'alimenter pour améliorer, entretenir ou recouvrer une "forme" compromise par les conditions de la vie moderne.

Mais on sait aussi que des philosophes, des médecins psychologues se penchent avec un intérêt croissant sur ce système insolite.

Car il s'agit bien d'un système, c'est-à-dire d'un ensemble coordonné d'éléments éducatifs, dont on ne considère qu'une apparence superficielle quand on le juge sur les contorsions d'un yogi ou la planche à clous d'un fakir...

Nous vous invitons à une expérience de développement personnelle beaucoup plus large et fort simple.

Comment le yoga vint en Europe et, plus particulièrement, en France

En tant qu'expression de la pensée extrême-orientale, le yoga est étudié et connu en Occident depuis fort longtemps, ainsi que les deux autres grands systèmes philosophiques sur lesquels il s'appuie : le *Samkhya* et le *Vedanta*.

Toutefois, seuls des philosophes, des orientalistes, quelques érudits s'y intéressaient et d'une façon plus théorique et intellectuelle que pratique.

Dans notre pays, berceau du rationalisme, déserté par les êtres fabuleux et où les légendes n'ont plus cours, point de poisson-homme pour nous transmettre la Sagesse.

Plus prosaïquement, l'initiateur, pour la France, fut l'abbé Parraud qui fit, en 1787, une traduction en français de la version anglaise de la *Bhagavad Gita*.

En 1800, un orientaliste français Anquetil-Duperon publia une traduction en latin, à partir d'un document persan, de certains textes sacrés des *Upanishad*.

Dans le courant du XIXe siècle, des érudits français, anglais, allemands poursuivirent la tâche commencée. Les traductions se succédèrent. Certains philosophes comme Hegel, Schlegel, Schopenhauer en eurent connaissance et ne furent pas sans être influencés par cette approche de la pensée orientale. Le grand public resta dans l'ignorance de ces travaux.

On retrouve bien, au cours des siècles, certaines similitudes avec la pensée indienne dans les mouvements mystico-philosophiques qui, de l'Antiquité à nos jours, vont des pythagoriciens aux théosophes. Mais l'audience de ces groupements ne dépasse pas l'orbe restreint commun aux sectes.

Or, depuis quelques trente ans, par le jeu des moyens de communication et de diffusion, la connaissance du yoga s'est répandue dans le monde entier.

Toutefois, cette expansion concerne moins la partie philosophique, base essentielle du yoga, que sa phase gymnique préparatoire. D'où le désaccord entre ceux qui le jugent uniquement au travers des attitudes corporelles censées le caractériser, et ceux qui le considèrent comme une haute connaissance.

Il va de soi qu'on représentera plus aisément un yogi par une des poses qui lui sont propres que par l'état d'âme qu'il recherche et atteint par sa méthode.

De plus, bien que le yoga concerne l'homme tout entier : corps, âme et esprit, c'est souvent uniquement la santé physique et mentale qui attire l'Occidental.

Quoi qu'il en soit, la diffusion s'étend. Tant en Amérique du Nord et au Canada qu'en Amérique du Sud, notamment au Brésil, on cite des centres d'étude et de pratique du yoga un peu partout. Il en existe aussi en Allemagne, en Angleterre, Australie, Belgique, Espagne, Italie, Suisse, de même que dans les différents pays d'Europe de l'Est, en Scandinavie, et même en Russie.

En France, dès 1936, Félix Guyot, professeur de philosophie devenu journaliste, publia, sous le pseudonyme de C. Kerneiz, les premiers ouvrages pratiques sur le yoga.

Il instaura en 1945 la première école de Hatha Yoga où se formèrent de nombreux pratiquants et professeurs. L'un d'eux, L. Ferrer, fonda à son tour, en 1950, une école réputée, à Paris.

Mais le premier représentant en France de cette méthode fut Shri Malesh Ghatradryal qui enseigna dès 1947.

D'autres vinrent et démontrèrent les possibilités offertes par le yoga.

Les plus remarquables furent deux Indiens, les docteurs Pramanick et Goswami qui, en novembre 1950, à l'hôpital de la Salpêtrière, firent la preuve de la maîtrise physiologique absolue qu'on peut obtenir.

D'autres yogis, authentiques ou non, exhibèrent leurs talents en public, apportant ainsi leur quote-part à l'extension de la connaissance de ces méthodes. Mais ce furent surtout des voyageurs, journalistes et écrivains, qui rapportèrent des images, des ouvrages de leurs périples en Inde et de leurs contacts.

Lanza Del Vasto, après un séjour en Inde, écrivit *Pèlerinages aux Sources* en 1944, et fonda un groupement inspiré du système des Ashram ou communautés hindoues.

A. Desjardins présenta à la Télévision française plusieurs reportages sur l'Inde et le Tibet. Il reprit ces récits dans des ouvrages faisant le point exact entre ce qu'on appelle yoga en Occident et ce qu'il est dans son pays d'origine.

Le yoga n'est pas confessionnel, c'est-à-dire que sa pratique n'exige pas l'adhésion à une religion particulière, notamment hindoue, mais il ne doit pas pour autant être dissocié d'un ensemble éducatif qui le rend plus complet que nos cultures physiques. Le yoga n'est pas une simple méthode gymnique.

Antérieurement, puis parallèlement au courant lancé successivement par Kerneiz, Ferrer, Shri Mahesh qui, en principe, ne concernait que le yoga psycho-physique ou Hatha Yoga, se développa une autre branche plus philosophique et spirituelle.

Ce courant fut lancé au siècle dernier par Swami Vivekananda, disciple du grand Sage Ramakrishna.

En 1893, au Congrès des religions à Chicago, Vivekananda fit une grande impression ; son but était d'instaurer une Eglise universelle. Il créa la mission Ramakrishna, en Inde et en Occident, chargée de répandre les livres sacrés hindous.

L'écrivain Romain-Rolland, en 1929, se fit le flambeau de cette nouvelle parole en écrivant une vie de Ramakrishna et de Vivekananda. Les oeuvres du philosophe R. Guénon, entre autres, et les traductions d'auteurs indiens diffusées par des éditeurs spécialisés dans les philosophies orientales, consacrèrent pour le public la valeur de ce yoga dont le représentant en France fut le regretté Swami Siddhesvarananda qui, depuis 1939, enseignait tant à l'Université de Toulouse qu'à la Sorbonne et dirigeait le Centre védantique Ramakhrisnade Gretz, en Seine-et-Marne.

Il semble qu'il y ait deux façons d'envisager le yoga. Sa révélation en Europe à la fin du XVIIIe siècle commença par l'aspect philosophique, pour s'étendre, à notre époque, à son aspect éducation psycho-physique offrant deux tendances : l'une spéculative, l'autre plus concrète.

En réalité, la différence réside plus dans la forme observée que dans le fond. Dans la pensée hindoue, toute méthode, qu'elle soit spirituelle, philosophique ou psycho-physique, ayant pour but ou conséquence de conduire à un état supérieur de conscience, est un yoga.

Le Hatha Yogi se préoccupe de réaliser l'accord entre le corps et l'âme, ou, si l'on préfère, entre le *physique* et le *psychique*. Cet accord prélude à la fusion avec l'esprit, phase réservée en principe aux yogas philosophiques, métaphysiques ou dévotionnels.

Quelles que soient les raisons profanes ou sacrées qui nous font adhérer aux techniques yogiques, on doit savoir qu'elles forment un ensemble de disciplines par lesquelles l'individu s'efforce de s'élever, comme dans la légende le poisson devint homme.

Cette transformation, ou mieux cette conversion, correspond à *l'état* de yoga : ayant retrouvé sa vraie nature, l'homme vit en conformité avec elle.

A Paris comme en province, on voit s'ouvrir des salles où l'on enseigne à la fois la culture physique, le judo, le yoga ; des clubs de vacances inscrivent des cours de yoga dans leurs programmes.

Tout cela est excellent, mais cette "promiscuité" inévitable risque de faire prendre le yoga pour une méthode parmi d'autres, de régénération physique.

Actuellement, pour remédier à cette déviation qui expose la méthode à une dégradation regrettable, des professeurs se sont groupés en fédérations nationales, tant en Belgique qu'en France et ailleurs.

Le but essentiel de ces groupements est de maintenir l'esprit du yoga dans ce qu'il a de caractéristique, tout en restant à la portée de quiconque désire simplement s'entretenir, se perfectionner personnellement, s'épanouir sur tous les plans et s'entraîner à des exercices gymniques.

Nous n'avons fait qu'un tour d'horizon superficiel et nous n'avons cité que les plus marquants parmi ceux qui jouèrent un rôle actif dans la diffusion du yoga.

On peut supposer que, dans tous les pays, la connaissance de cet enseignement a suivi le même cheminement et s'est développée tant par les voyages de particuliers que par les visites de yogis et de swamis.

En tout cas, que ce soit par sa partie philosophique, psychologique ou mystique, le yoga n'est plus une vogue passagère n'intéressant que des excentriques en mal d'exotisme, ni une connaissance inabordable réservée à une élite, mais un fait avec lequel il faut compter et sur lequel on peut s'appuyer.

Cela peut paraître étonnant, de nos jours, de recourir à une méthode archaïque qui ne semble pas avoir aidé l'Inde à résoudre ses problèmes, ni lui avoir apporté d'autres résultats positifs que de former quelques grands Sages apparemment sans influence sur l'évolution de leur pays.

Un jugement aussi sommaire ne tient pas compte du fait que la situation angoissante de l'Inde procède de causes multiples où le yoga ne joue aucun rôle.

Dans l'immense masse d'un demi-milliard d'habitants parlant 14 langues principales et 800 dialectes, et dont 75 % sont des illettrés, la sagesse du yoga s'est plus ou moins perdue. Seuls des initiés s'en transmettaient le secret.

On pourrait presque dire que c'est grâce à la

curiosité des étrangers que l'Inde a repris conscience de la valeur de ces méthodes, notamment de celles intéressant le développement psycho-physique, puisque tout récemment seulement le hatha yoga prit rang dans les écoles.

Un Indien m'a dit un jour qu'on parlait plus de yoga en Occident qu'en Inde. Une autre fois, lors d'une projection filmée de documents sur l'Inde, le représentant culturel du gouvernement indien demanda à l'auditoire de ne pas juger l'Inde sur les yogis, ses temples et ses palais, mais sur ses réalisations industrielles. Craignait-il que nous gardions de son pays une image folklorique inadéquate à l'idée qu'il souhaitait nous voir retenir : celle d'un peuple en pleine évolution économique ?

Nous éprouverions sans doute un sentiment analogue si un documentaire sur la France ne présentait à des étrangers que des moines en prière ou des cathédrales ou si, plus fâcheusement, on ne nous offrait que le "Paris qui s'amuse".

Vous qui lisez ces lignes, vous hésitez sans doute encore à abandonner l'idée d'un yoga, méthode réservée à des individus y consacrant leur vie, ou d'un yoga "fakirique" et peu attirant pratiqué par des êtres décharnés aux membres contournés en des attitudes extravagantes. Pourtant, vous savez que des résultats ont été obtenus par le yoga et vous voudriez le connaître, le pratiquer.

Faites confiance au yoga, système éducatif tellement complet qu'il est sans équivalent.

Avant d'aller plus loin, examinons, voulez-vous, les trois aspects sous lesquels vous apparaît le yoga.

L'aspect sévère

Certes, le yoga s'apparente à une philosophie, c'est-à-dire un système réunissant l'ensemble des conceptions communes à nos propres façons de penser. C'est aussi une recherche religieuse extrêmement poussée. De ce fait, certains pourraient craindre de se laisser entraîner sur des voies dogmatiques étrangères à leur religion ou impliquant une foi religieuse qu'ils ne possèdent pas.

Tout religieux bouddhiste, chrétien, hindou, juif, musulman, etc., aussi bien que le pratiquant sincère de l'une de ces religions est, au sens strict du terme, un yogi. Il est un être qui cherche le contact et l'union avec le dieu de sa foi. Or, les procédés du yoga s'appliquent à toutes les pensées religieuses indifféremment.

Les écrits et les paroles en faveur du yoga de deux religieux, le R. P. Régamey et le R. P. Dom Déchanet, enlèveront tous scrupules aux chrétiens.

Mais cet aspect, aussi attirant qu'il soit, peut fort bien ne pas vous convenir. Ne vous inquiétez pas : les bases du yoga, considérées comme des techniques, ne vous imposeront que des règles d'hygiène physique et mentale à la portée de tous.

Sans cela, croyez-vous que des nations réputées pour leur position opposée à toute spéculation religieuse, comme l'U.R.S.S., par exemple, s'y seraient intéressées ?

Voyons maintenant l'aspect "fakirique"

Ne vous laissez pas prendre au piège de cette image péjorative.

En réalité, le mot "fakir" ou "fak'r" en langue arabe, veut dire "pauvre" et désigne le yogi musulman.

Il ne faudrait pas prendre certains bateleurs, qui ont attiré des badauds par des excentricités plus ou moins truquées ou des procédés empruntés aux yogis, pour d'authentiques yogis ou fakirs. Ceux-ci ont été photographiés et filmés, souvent à leur insu, pendant les exercices ou des modifications à but religieux dont nous n'avons pas à juger la valeur. Cette voie qui est la leur ne sera pas la nôtre, même si certaines attitudes semblent s'apparenter à leurs méthodes.

Il semble que, parallèlement au yoga réservé aux initiés, il ait toujours existé une sorte de yoga du peuple.

Ce yoga n'avait pas pour but de hautes spéculations métaphysiques, mais répondait aux besoins de survie de l'homme simple : berger, cultivateur, nomade, aux prises avec les éléments hostiles de la nature et de sa nature.

Par une déviation inévitable, ces procédés ont pu donner naissance à ce que nous qualifions de "fakirisme" parce que certains l'ont commercialisé.

En somme, c'est surtout l'aspect vénal qui nous choque.

Il est indiscutable que les fakirs possèdent une parcelle de "quelque chose". N'est-il pas déjà stupéfiant que ces hommes soient capables de nous faire croire à l'incroyable, de nous imposer une illusion ?

Les contorsions aberrantes, l'absence de douleur ou la maîtrise totale ou partielle (la planche à clous), la puissance hypnotique (l'enfant grimpant à une corde imaginaire vue par les spectateurs dans un cercle restreint), tout cela et bien d'autres choses encore sont le reliquat "monnayé au public" de recettes découvertes par des êtres dits "primitifs". C'est l'intuition, peut-être, qui leur révélait les moyens d'atténuer une douleur, de résister à la faim, à la soif, à la fatigue, à la maladie.

Qui nous dira comment ces mêmes êtres primitifs ont découvert les vertus curatives de telle plante devenue comprimé pharmaceutique ? Qui nous dira l'impulsion salvatrice qui pousse l'animal à choisir exactement l'herbe qui le purifiera ?

Ne haussez pas les épaules s'il vous arrive d'assister en Inde ou en Afrique à tel spectacle de "foire", et demandez-vous si cet homme, même avec ses "trucs", n'a pas été instruit des mêmes procédés dont vous allez vous servir pour votre bien.

Car ce que nous vous offrons est un compromis entre les deux, l'ascète et le fakir. Nous cotoierons le yoga philosophique et sacré en nous servant de la façon pratique d'envisager la vie de ces hommes - nos ancêtres lointains - même s'ils avaient les yeux bridés pour la nécessité de s'abriter le regard des vents de la steppe ou des poumons de montagnards capables de respirer l'air raréfié des hautes altitudes de l'Himalaya.

Nous profiterons, à travers les siècles, des connaissances acquises, perdues et retrouvées, en poursuivant une progression lente mais sûre vers l'amélioration.

Enfin, envisageons l'aspect prometteur : Celui dont vous avez entendu parler autour de vous et dont vous soupçonnez la valeur.

Ce yoga s'intègre, au prix d'un effort minime de volonté, dans votre vie quotidienne et ne vous demandera rien qui ne soit à votre portée. Même les exercices gymniques auxquels vous n'êtes pas habitué vous seront accessibles. Il ne s'agira pas de vous contorsionner *pour* réussir une posture, mais d'améliorer votre santé, votre souplesse, votre maîtrise par la posture conseillée. Une posture même inesthétiquement exécutée garde toujours sa valeur éducative.

Ceci concerne les flexions, étirements, positions qui vous sont décrits, massages bienfaisants et non les prouesses acrobatiques dont vous n'avez que faire.

**Par ce yoga, les
pratiquants obtiennent :**

Sur le plan physique

Une *souplesse* générale des articulations et de la colonne vertébrale selon le tempérament et les possibilités de chacun.

Un bien *meilleur fonctionnement organique*, intestinal, hépatique, cardiaque, glandulaire, circulatoire, etc. C'est un excellent préventif des troubles fonctionnels permettant une récupération plus rapide de la santé après une atteinte maladive.

Sur le plan mental

Une possibilité de contrôle émotionnel et nerveux ; une technique de la concentration pour lutter contre l'éparpillement de notre pensée ; une prise en main du gouvernement de soi-même, par une méthode personnelle de plus en plus approfondie.

L'équilibre de ces deux éléments psycho-physiques s'étend à toutes les manifestations de notre vie privée, familiale et sociale, avec les conséquences heureuses qui en découlent.

Pour cela, cette méthode s'appuie sur trois facteurs principaux :

- La respiration.
- Les postures.
- Le dosage de l'effort.

Ces trois facteurs eux-mêmes conditionnés par une attitude mentale attentive.

En cela, on peut dire que ce yoga est une source de jeunesse et de santé, sans être aucunement une méthode thérapeutique. La médecine peut demander au yoga d'être un adjuvant, dans certains cas : le praticien est le seul juge.

Rappelons, pour conclure, que si l'on peut dépasser le niveau de cette formation psycho-physique à quoi nous vous convions et qui est véritablement le yoga pour chacun, à la portée de tous, les degrés supérieurs du yoga ouvrent des perspectives immenses, d'ordre spirituel. Elles sont réservées à quelques-uns.

1

LE YOGA OU LES YOGAS

Des pages précédentes, il ressort que sous le mot "yoga" se cache une très ancienne doctrine qui nous propose :

- Une philosophie, c'est-à-dire une façon d'envisager la vie ;
- Les moyens pour la suivre.

Cette philosophie est beaucoup plus proche de nous qu'on ne pourrait le croire, et nous ne risquons pas de nous perdre en de sublimes discussions si nous revenons aux conseils de modération donnés aux apprentis yogis par les textes anciens :

Le yoga ne peut être atteint :
ni par celui qui mange trop
ni par celui qui s'abstiendra de nourriture
ni par celui qui dort trop.

Le yoga est atteint par celui qui mange et vit comme il convient et dont tous les actes sont réglés par la raison, celui dont le sommeil et la veille sont équilibrés (Bhagavad Gita).

Nulle part, dans ces textes, on ne trouvera conseillés des mortifications aberrantes, des jeûnes ou ces règles alimentaires particulières qui sont souvent mal interprétés et encore moins bien appliqués.

Voilà une Sagesse qui rappelle la nôtre, un peu trop oubliée, celle de la juste mesure en tout.

Il existe une variété importante, et non répertoriée, de voies d'accès à cette maîtrise de la vie connue sous le nom de yoga, et des moyens variés sont employés pour parvenir au but.

Mais il n'y a jamais eu, en somme, qu'un seul yoga, celui que Shri Aurobindo définissait comme :

... toute vie ou tout effort entrepris par la nature humaine pour atteindre sa perfection, réaliser ses potentialités.

Le yoga est un arbre dont les branches maîtresses ramifiées partent de la même racine.

Cet arbre compte quatre branche maîtresses ramifiées, interdépendantes les unes des autres et qui procèdent l'une de l'autre.

Pour grimper à cet arbre de la connaissance, nous nous servirons des branches basses ou des plus élevées, selon notre taille, c'est-à-dire nos possibilités ou nos besoins.

Avant d'aller plus avant, examinons rapidement les méthodes traditionnelles les plus connues.

D'après une classification généralement admise, à quelque variante près, il y aurait quatre yogas principaux dont deux se ramifient en huit variantes.

Tous, par les moyens propres à chacun d'eux, tendent au même but : amener le pratiquant à abolir en lui la lutte entre sa nature et son esprit.

N'est-ce pas, somme toute, ce que nous cherchons sans en avoir toujours une claire conscience ?

Comment cela ? Penserez-vous.

Se réclamer du matérialisme (la nature) ou du spiritualisme (l'esprit), prôner la suprématie exclusive de l'un ou de l'autre, ou trouver un moyen terme les conciliant, correspond dans notre vie quotidienne à des états de satisfaction ou d'insatisfaction dépendant étroitement de notre position face à ce dualisme éternel.

S'il existait une manière de nous éduquer de telle sorte qu'une réconciliation de ces deux antagonistes devienne possible, en nous, cette méthode serait sans prix. Nous reprendrons cette idée au cours des pages suivantes. Pour l'instant, étudions rapidement ces quatre yogas et leur éclatement pour en retenir ce qui peut nous concerner.

Par ordre, non d'importance, ni d'ancienneté, on les énumère ainsi :

I. - Hatha Yoga

Basé sur la maîtrise de la respiration, amenant au contrôle du corps et de la vitalité.

C'est le hatha yoga à quoi ce livre se propose de vous initier. Ce n'est pas un yoga fragmentaire, mais c'est celui qui correspond à l'épanouissement des possibilités psychologiques de chacun de nous.

II. - Laya Yoga

Basé sur l'écoute du "son intérieur", c'est-à-dire la perception d'un bruissement de plus en plus subtil que l'adepte capte par l'oreille droite dans l'une des positions assises de méditation. Ce yoga amène, par la volonté, à la domination de l'esprit. C'est l'un de ceux qui se ramifient en quatre branches :

1) *Bhakti yoga,* basé sur la dévotion, amène le pratiquant à la domination de soi par l'amour divin ;

2) *Shakti yoga,* basé sur la maîtrise de l'énergie cosmique dont chaque être détient une parcelle. Lorsque cette forme est éveillée, elle donne la domination des forces de la Nature ;

3) *Mantra yoga,* basé sur la répétition d'un ou plusieurs noms, phrases ou syllabes sacrées dotés d'une énergie vibratoire intense donnant la maîtrise sur toute les vibrations, donc sur tous les

aspects du monde manifesté ;

4) Yantra yoga, basé sur l'utilisation de symboles géométriques, représentant l'union du monde personnel du sujet avec le monde impersonnel divin, c'est-à-dire de l'âme avec Dieu. Le yantra sert de support de méditation au yogi.

III. - Dhyana yoga

Basé sur la méditation et conduisant le yogi au contrôle du processus de la pensée. Ce yoga est celui qui s'apparente aux systèmes méditatifs "ch'an" du taoïsme de l'ancienne Chine et "zen" du bouddhisme japonais.

IV. - Raja yoga

Basé sur la maîtrise méthodique des différents procédés de concentration conduisant à la discrimination du vrai et du faux.

Ce yoga se ramifie aussi en quatre branches :

1) Jnana yoga, basé sur la recherche de la connaissance intellectuelle poussée au-delà des limites mentales connues et conduisant le yogi à la maîtrise totale de l'intellect discursif ;

2) Karma yoga, basé sur la maîtrise de l'activité quotidienne détachée de tout objectif personnel et conduisant au contrôle des actions sans souci de résultats immédiats ou lointains ;

3) Kundalini yoga, basé sur l'éveil de la force psycho-physique localisée à la base de la colonne vertébrale et conduisant à la domination de centres de forces mystérieuses, points d'émergence de cette énergie ;

4) Samadhi yoga, basé sur une super-concentration menant le yogi à l'identification avec l'objet de sa contemplation, véritable extase provoquée par le développement d'une intuition aiguë.

Si imparfaite et incomplète que soit cette énumération, elle donne au non-initié une impression d'extrême complication. Cet arbre exotique est vraiment trop touffu, il aurait besoin d'être élagué, aussi ne retiendrons-nous que le hatha yoga, branche apparemment moins haute que les autres et de ce fait plus accessible sans doute.

Cependant, avant de quitter ces diverses façons d'accéder à la connaissance suprême, nous pouvons faire deux remarques utiles :

Tout d'abord, aucun de ces yogas n'est indépendant des autres ; ils s'entrelacent plus ou moins étroitement. Ensuite, en examinant ces méthodes à la lumière de nos propres connaissances occidentales, nous remarquons qu'elles concernent les quatre fonctions principales de la conscience que répertoria, entre autres, le psychologue C. G. Jung, à savoir : la pensée, le sentiment, la sensation, l'intuition.

Le développement de chacune de ces fonctions correspond aux yogas suivants : *jnana* pour la pensée ou raison - *bhakti* pour le sentiment ou impulsion émotionnelle - *hatha* pour la sensation ou impulsion instinctive - *raja* ou *samadhi* pour l'intuition.

On comprend alors qu'aucun yoga n'est vraiment indépendant l'un de l'autre, car on ne peut développer un facteur sans qu'il ait une répercussion sur un autre, pour la raison bien simple qu'on ne découpe pas l'homme en tranches et que maîtriser le corps et ses instincts c'est aussi dominer l'émotion, la diriger par la pensée pour développer l'intuition, fonction créatrice supérieure dirigeant les autres.

Si vous croyez que rien, dans cette énumération, ne correspond à ce que vous souhaitiez trouver, dites-vous qu'il est vraisemblable que vos objections ne reposent pas sur une connaissance suffisante de vos problèmes. Quels qu'ils soient, physiques ou psychiques, ils ont des répercussions inévitables sur votre comportement, votre caractère, vos activités professionnelles et votre équilibre personnel tout entier. En cherchant dans le hatha yoga une règle directrice, vous tendrez vers un équilibre plus assuré, un épanouissement certain.

Si vous jugez que les autres yogas vous intéresseraient plus que celui que nous allons mettre à votre portée, sachez qu'il a pour but de préparer à tous les autres et qu'il trouve son expression finale dans le *raja yoga* les couronnant tous, *raja* voulant dire royal.

Mais vous ne pourrez aborder avec quelque chance de succès ce stade qu'après être passé par les étapes du hatha yoga.

De toute façon, quelle que soit la voie choisie, on retrouve toujours huit règles communes à toutes et dont voici les degrés à franchir :

1) *Yama :* Préceptes moraux qui n'ont pas varié depuis que l'homme est conscient d'être le roi de la création ;

2) *Niyama :* Observances particulières favorisant l'application de ces préceptes ;

3) *Asana :* Attitudes corporelles pour nous entretenir physiquement ;

4) *Pranayama :* Maîtrise du système nerveux par la respiration ;

5) *Pratyahara :* Comment *détendre* chaque muscle et organe, par le retrait de la conscience ;

6) *Dharana :* Fixation de la pensée par *l'attention* dirigée sur différents points particuliers, à l'intérieur ou à l'extérieur du corps ;

7) *Dhyana :* Utilisation de la pensée créatrice positive, ou suggestion, pour *contrôler les sensations ;*

8) *Samadhi :* Développement de l'intuition par une intense *concentration.*

Ne vous laissez pas décourager par cet inventaire, c'est beaucoup plus simple que vous ne le pensez.

Même sans faire de yoga vous employez plus ou moins dans votre vie, sans le savoir, ces huit degrés. Par exemple, les deux premiers peuvent se ramener à notre dimension en traduisant préceptes et observances par : hygiène morale, hygiène physique, hygiène de vie ; ils deviennent alors moins austères.

Quant aux autres, ils répondent exactement à la recherche d'une attitude, d'une respiration, d'une détente *justes* au moyen d'un effort conscient allant de l'attention à la concentration, point ultime rejoignant le raja yoga.

La différence entre chaque yoga réside dans le point d'émergence particulier, le moyen choisi autour duquel gravitent les autres.

Nous pouvons le constater en relisant l'énumération des quatre principaux yogas et leur ramification.

C'est ainsi que dans le *hatha yoga* on met l'accent, non sur les postures qui ne sont que l'apparence visible de la méthode, mais sur le 4e degré, la *respiration,* sans que soient rejetés les autres.

Il en est de même pour les autres systèmes où l'on doit franchir avec des variantes de classification les étapes prévues, à moins qu'elles ne soient considérées comme dépassées, donc maîtrisées.

2

LE HATHA YOGA
OU
LA VOIE DU JUSTE EFFORT

Ce yoga, le plus pratiqué en Occident, est aussi celui par lequel on accède plus aisément aux autres, si besoin est. Nous disons bien : si besoin est, car en lui-même il est suffisamment complet pour ne pas nécessiter le recours à des yogas différents puisqu'il les recoupe tous.

Le hatha yoga nous donne la mesure à respecter, la progression à suivre, que beaucoup ont négligée en supposant les premiers échelons acquis ou sans intérêt. C'est celui qui nous fixera le cadre dans lequel nous pourrons construire une vie nouvelle.

Par une extension de sens qui n'en trahit pas l'esprit, on traduira *Hatha Yoga* par "voie du juste effort", tant en raison de la signification exacte des termes, qu'en vertu des méthodes préconisées.

Ainsi :

HA veut dire soleil ou force mâle positive, active ;

THA veut dire lune ou force femelle négative, réceptive ;

YOGA veut dire union, conjonction.

Ce dernier mot indique aussi la façon de maintenir ou de rétablir l'équilibre entre les deux forces Ha et Tha, l'activité et le repos.

Ces deux syllabes, par leur signification, rappellent la Chine et son acupuncture avec les éléments Yang positif et Yin négatif, conditionnant la santé ou la maladie.

Comme nous l'avons dit (page 25), le Hatha Yoga s'articule sur le 4e degré traditionnel, la *respiration*.

Comment vont se dérouler les étapes suivantes ?

Le fonctionnement sans grincement de cette "charnière" qu'est la respiration dépend de notre attitude physique.

Les poumons coincés par un dos rond, écrasés par une poitrine affaissée, ne peuvent remplir leur rôle de "soufflet" entretenant la flamme de la vitalité.

Il faut leur donner l'espace dont ils ont besoin en redressant, en assouplissant la colonne vertébrale, c'est le rôle des *postures* (3e degré).

Celles-ci obéissent au jeu de la *détente* qui accompagne toute tension (5e degré) et compense cette dernière. Mais afin de poursuivre ces étapes, il nous faut posséder l'intention sérieuse de nous réformer et pour cela respecter certains *préceptes* (1er degré). Nous sommes aidés alors par l'observance de principes particuliers ressortissant du 2e degré.

Voici donc, dans un ordre différent, les cinq premiers échelons menant au yoga.

Ne vous semblent-ils pas déjà moins rébarbatifs ?

Ces cinq degrés constituent ce qu'on appellerait les aspects *extérieurs* du travail sur nous-même.

Les trois derniers formant les aspects *intérieurs,* la plupart du temps négligés par beaucoup de pratiquants occidentaux du yoga ou, au contraire, survalorisés par d'autres parce que plus attrayants, plus prometteurs, sans être pour cela plus faciles.

Les mots : *méditation, concentration, contemplation* correspondent à dharana (6e degré), dhyana (7e degré), samadhi (8e degré) attirent ou repoussent suivant nos tendances. Il est nécessaire de les expliquer

pour les rendre plus accessibles à ceux qu'ils rebute-
raient.

Ainsi, samadhi, le 8e degré, reste, même pour un
yogi, du domaine des lointaines probabilités dans sa
phase extatique ultime. Cependant, l'obtention d'un
degré mineur d'intuition n'est pas impossible dès que
nous avançons sur le chemin tracé.

Quant au 6e degré, dharana, sa phase préliminaire
ne nous demande que de faire attention à ce que
nous faisons.

Est-ce donc si difficile ?

N'avons-nous pas de plus en plus besoin de savoir
comment *faire attention* ?

Enfin le 7e degré, dhyana, consiste d'abord à
remplacer nos idées destructrices, de découragement,
de doute, etc., par des *suggestions* d'espoir et de force.

Voilà ramené à une dimension pratique ce qui
risquait de nous entraîner vers des lointains réservés à
des exceptions. Il ne sera pas question, pour nous, de
suivre jusqu'au bout et encore moins de singer un
yogi hindou.

Notre vie citadine ou champêtre avec des activités
familiales ou sociales, est totalement incompatible
avec la règle stricte suivie par un yogi retiré du
monde.

Pourtant les problèmes qui nous déterminent à suivre, en partie, la voie tracée par les anciens Sages,
sont les mêmes que ceux qui préoccupent un ermite.
Celui-ci, à moins d'une grâce spéciale, est contraint de
compter avec son corps, son organisme, ses tendances, aussi doit-il se libérer de toute entrave
physique ou psychique.

Tel est bien aussi notre souhait.

Mais ce premier but atteint, le yogi poursuit sa
route vers l'absolu, tandis que nous, ralentissant notre

élan, nous nous contenterons de bénéficier d'un dynamisme accru, d'une vie fonctionnelle plus harmonieuse, d'une résistance plus grande à la maladie et aux soucis. Cependant nous garderons la possibilité d'aller plus loin.

La difficulté - il en est une bien sûr ! - naîtra de vous...

Il nous faut faire un réel effort pour surmonter la naturelle apathie qui nous freine sous des prétextes apparemment valables, dont le "manque de temps" ne sera pas le moindre.

Vous devrez, évidemment, prélever dans votre journée un instant "précieux" réservé au sommeil.

Au prix de ce petit sacrifice, vous gagnerez non seulement de mieux vous porter mais, ce faisant, de mieux vivre.

Comment pratiquer cette méthode sans aller en Inde, ni renoncer à nos activités habituelles ?

En suivant, pas à pas, la route tracée par les huit étapes que nous connaissons maintenant. On ne les distingue, d'ailleurs, que pour la commodité de leur étude ; en réalité elles sont indissolublement liées les unes aux autres et peuvent s'étudier dans un ordre tout différent de celui que la tradition nous propose.

Pour vous en convaincre, observez-vous un instant.

En ce moment même, supposons-le, vous êtes assis sur un siège :

Si votre "attitude" corporelle est juste, c'est-à-dire si vous vous sentez confortablement installé tout en étant droit, sans effort et non affaissé, vous êtes dans un "asana" naturel puisque, nous le verrons plus en détail par la suite, ce mot veut dire "ce qui est stable et confortable". Vous utilisez donc le 3e degré "asana".

Si votre respiration est calme, ample, bien locali-sée, c'est un "pranayama" involontaire et inconscient, certes, mais en tant que tel il vous recharge et vous dynamise sans que vous le sachiez. Vous respectez le 4e degré "pranayama" ou recharge par la maîtrise de l'énergie fournie par le souffle.

Si aucune "contraction" superflue ne vient troubler votre équilibre tensionnel, c'est-à-dire si les muscles de votre visage, de votre dos, de vos bras, de vos jambes ne se contractent pas plus qu'il n'est nécessaire, c'est le 5e degré que vous respectez, ou "pratyahara".

Si, de temps en temps, vous contrôlez ces trois points, ou, simplement, si vous êtes attentif à ce que vous faites et ressentez, vous utilisez le 6e degré ou "dharana".

Si vous vous refusez toutes pensées déprimantes, toute émotion perturbatrice, vous respectez le 7e degré ou "dhyana".

Si, par une concentration, c'est-à-dire un rassemblement de vous-même sur ce que vous faites présentement, vous éprouvez un état de calme et de force intérieure, vous atteignez une première marche qui mène au 8e degré : "samadhi".

Enfin si, ce matin, vous avez observé vos prescriptions habituelles d'hygiène, et si vous vous êtes alimenté sainement sans excès ni restrictions inusités, vous avez abordé le 2e degré ou "niyama".

Et si, tout au long du jour vous avez respecté ou essayé de suivre une conduite morale personnelle, vous avez admis le 1er degré ou "yama".

Que dites-vous de ce yoga spontané ?

Que vous n'avez alors plus rien à apprendre et qu'il est inutile de poursuivre ?

En êtes-vous bien sûr ?

Nous venons de choisir un exemple qui vous a permis de vous trouver à l'aise dans la pratique des huit degrés. Il est fort vraisemblable que, dans bien des circonstances, l'un ou l'autre des degrés vous manque.

La succession des continuelles difficultés rencontrées pour nous maintenir en parfaite cohésion avec nous-même et avec le monde qui nous entoure bouleverse souvent notre fragile ordonnance intérieure.

Ce qui est plus grave encore, c'est notre incapacité à la rétablir une fois désorganisée.

Tout allait bien il y a quelques instants... puis, une pensée nous effleure et nous obsède, un léger malaise nous assaille... et nous nous efforçons vainement de retrouver ce "bien-être", cette quiétude. Rien à faire !

Mais si ! Quelque chose est à faire, et cette fois nous posons une affirmation avec force.

Pour que tout rentre dans l'ordre, suivons pas à pas la voie tracée par les sages et apprenons patiemment la loi du juste équilibre, du juste effort que nous enseigne le Hatha Yoga.

3

CONSEILS PRATIQUES

Vous êtes déjà en mesure de vous poser plusieurs questions. Nous allons y répondre tout de suite, avant que vous commenciez l'application systématique de ce que vous allez lire.

Dites-vous bien que vous allez pratiquer une méthode qui doit modifier profondément votre vie :

- En vous aidant à combler vos lacunes physiques et mentales,

- En vous enseignant à utiliser au maximum vos capacités réelles, souvent ignorées de vous,

- En vous permettant d'entretenir, donc de garder en bon état, plus longtemps que quiconque, votre santé sur tous les plans.

Le hatha yoga, adopté systématiquement comme règle de vie, ne connaît pas d'échecs ; encore faut-il ne pas se contenter d'espérer passivement une amélioration, mais pratiquer les postures ou *asanas,* avec les exercices respiratoires du *pranayama,* et l'attention correspondante ou *dharana.*

En appliquant chaque jour la méthode de base des yogis, vous pouvez prétendre, au même titre qu'eux, à une vitalité accrue, sans toutefois acquérir ces pouvoirs étranges de télépathie, de voyance, etc., exploités par les amuseurs de foules.

Plus ou moins vite, selon votre tempérament, vous

deviendrez plus fort moralement et physiquement, donc plus apte à jouer efficacement votre rôle d'homme, quelle que soit votre place dans la société et quel que soit votre âge.

Dès les premiers essais, une fois les difficultés surmontées, vous commencerez à vous sentir "mieux adapté à votre corps", plus calme, vos soucis vous paraîtront plus supportables, votre fatigue sera moindre pour le même travail.

Ne vous découragez jamais et, bien que vous puissiez être tenté de parler à autrui de la discipline nouvelle que vous avez adoptée, faites d'abord la preuve de son efficacité par votre propre transformation. Gardez le silence, tant que vous ne serez pas assuré de pouvoir résister à l'influence déprimante des critiques ou des sourires narquois devant vos efforts vers le mieux.

D'ailleurs, le fait même de surmonter la tentation du bavardage est un moyen d'accumuler une énergie vitale qui sera mieux employée à la réalisation d'objectifs nouveaux.

Prenez l'habitude, sans devenir, pour autant, un être insociable, de garder pour vous vos idées, vos espoirs, vos décisions et de considérer chaque obstacle dressé devant vous, non comme un contretemps, mais comme un exercice salutaire.

Peut-être avez-vous déjà essayé quelques postures, au hasard de lectures sur le yoga ? Tentatives sans lendemain, faute de directives. Nous sommes nous-même passé par ce stade avant de rencontrer ceux qui nous ont guidé.

Ayez confiance, mettez-vous au travail avec joie et sérénité. Soyez persévérant : c'est le petit effort opiniâtre, quotidien, qui vous conduira au but. Et vous constaterez que cette méthode est le moyen de perfectionnement le plus complet.

Directives générales valables pour toutes les séries d'asanas

Nous vous proposons, plus loin, un ensemble de postures, groupées par séries.

Chaque fois que vous aborderez une nouvelle série, lisez-la attentivement. Visualisez les gestes à effectuer, c'est-à-dire représentez-vous dans l'attitude décrite, essayez-la ensuite.

Ne brûlez pas les étapes

Suivez les indications à la lettre, sans essayer de faire davantage, plus vite ou mieux. Il ne s'agit pas d'une compétition entre vous et d'autres, ni même entre ce que vous êtes et ce que vous voulez devenir.

Vous êtes simplement engagé sur le chemin de l'amélioration souhaitée. La nature procède par évolution lente et vous ne pouvez prétendre transformer en quelques instants un état vieux de plusieurs mois ou de plusieurs années.

Les postures

Les indications les concernant sont aussi claires que possible. En cas de doute, regardez le dessin correspondant. Les figures représentent tantôt un homme, tantôt une femme, cela signifie que l'attitude est valable pour les deux.

Chaque dessin est fait d'après photographie et représente exactement ce qu'il faut réaliser. N'essayez pas de simplifier ou de modifier quelque chose de votre propre initiative.

Dans les conseils pratiques figurent des indications de durée du maintien de la posture. Elles ne sont pas impératives.

Contrairement à d'autres auteurs, nous ne fixons pas de durée systématiquement. Selon le temps dont vous disposez et surtout vos capacités, chaque phase de maintien pourra varier d'un jour à l'autre.

Les premières fois, tant que vous ne serez pas sûr

de vous, tant que vous éprouverez une gêne, contentez-vous de maintenir la pose statique pendant un temps assez court : une à trois respirations contrôlées ; ou bien, recommencez trois fois de suite en revenant à la position de départ.

Dès que vous ne peinerez plus, gardez la pose de maintien aussi longtemps qu'elle vous est supportable.

Chaque posture comprend plusieurs phases : *la préparation, l'exécution* et la phase d'immobilité ou de *tension.* La phase active est à prolonger au minimum le temps de trois à six respirations, au maximum plusieurs minutes, mais il est bien rare que ce laps de temps excède deux minutes.

Les asanas sont pris par une suite de mouvements lents. Le passage d'une posture à une autre se fait sans élan ni brutalité.

N'oubliez pas que vous devez chasser toute idée de compétition. Bannissez également vos doutes, vos craintes.

Les effets des postures vont de pair avec la respiration et la fixation de la pensée sur l'action ou la réalisation de celle-ci. Un asana exécuté machinalement perd de son efficacité, de même qu'un asana exécuté avec la pensée : "C'est impossible, je n'y arriverai jamais."

Ne croyez pas que les Indiens soient différents de nous. N'imaginez pas non plus que leur initiation au yoga commence à l'enfance, mais à tout âge. Vous avez les mêmes chances.

Toutefois, un Indien, parce que sa conception de la vie est différente de la nôtre, consacre, lorsqu'il est yogi, beaucoup plus de temps que nous au yoga ; c'est notre seul handicap.

Pendant tout exercice, quel qu'il soit, abstenez-vous de raisonner, de vous juger.

Sachez que raté ou réussi, il compte comme fait et bien fait.

Essayez de votre mieux, sans effort inutile. Un yogi ne se préoccupe pas de savoir si ce qu'il fait pourrait être mieux exécuté : il le fait. Son maître lui-même ne l'encourage ni le décourage.

Acharnez-vous patiemment, sans brutalité ni crispation, et vous serez stupéfait des progrès réalisés. Encore une fois, le petit effort soutenu vaut plus que le coup de collier sans lendemain.

Le but du yoga étant de conduire l'homme à son plus haut point de perfection, le niveau atteint dépend de notre persévérance.

La posture la plus difficile peut être maîtrisée, après une période d'accoutumance, avec une approximation suffisante. D'ailleurs, même effectuée imparfaitement, elle donne son plein effet par l'effort fourni pour la prendre ou la garder un certain temps. La perfection est affaire d'aptitudes personnelles, donc variables, et ne peut être atteinte que lentement.

Dites-vous bien que vous commencez quelque chose de tout nouveau, où seul l'effort compte et non le style ou la performance.

La concentration mentale

Ne vous inquiétez pas des allures austères de cette expression : elle signifie seulement que vous devez prendre l'habitude de fixer votre pensée sur ce que vous faites.

Chaque fois, nous indiquons le but de la posture et le point précis sur lequel vous devez concentrer votre attention, afin que, pendant l'exercice, vous ne pensiez qu'aux résultats à atteindre et non à vos soucis ou à vos préoccupations habituelles. Ce sera peut-être le seul moment de la journée où votre esprit se reposera. Profitez-en !

Le régime ou les régimes

Nous étudierons ce problème plus en détail par la suite.

Le régime alimentaire varie pour chaque individu selon qu'il est bien ou mal portant, et aussi selon les résultats recherchés. Les Indiens sont végétariens, mais c'est là une règle déterminée autant par le climat de l'Inde que par les convictions religieuses de ses habjtants.

C'est le "bon sens" qui doit vous guider, non le sectarisme.

Si vous êtes fumeur, et quoique le corps médical reconnaisse et signale les méfaits possibles du tabac, son usage modéré est un dérivatif à l'anxiété moderne. Le hatha yoga vous aidera à diminuer progressivement votre consommation.

Seulement, ne fumez pas pendant les deux heures qui précèdent ou suivent vos exercices et considérez le fait de fumer comme un *plaisir,* non comme un *geste* machinal dont vous n'avez conscience que par son absence.

La tenue

Qu'elle soit aussi simple que possible, afin que rien ne vienne entraver la liberté de vos mouvements ; portez en hiver comme en été, un slip de bain ou, si vous craignez le froid, un survêtement de sport ou un chandail léger.

Aucun matériel n'est exigé, sauf une carpette ou une couverture posée à même le sol dur. Surtout ne vous entraînez pas sur un lit ou un divan.

Le moment

Le moment le plus favorable est le matin au réveil, après les ablutions matinales complètes. Toutefois le matin, le corps est beaucoup plus récalcitrant que le soir, aussi vous pouvez, sans inconvénient, pratiquer vos exercices avant le dîner, ou même à toute heure libre de la journée, à condition d'attendre deux heures après les repas avant de commencer la séance, ou de l'avoir terminée dix à quinze minutes avant un repas important (midi ou soir).

De toute façon, veillez à libérer vessie et intestins avant votre séance.

Le lieu

Vous avez besoin d'un espace maximum de quatre mètres carrés, dans n'importe quel endroit où vous serez tranquille. De préférence, choisissez une pièce aérée. Cependant, en hiver ou dans un climat rigoureux, ne risquez pas un refroidissement en ouvrant votre fenêtre pendant les exercices, surtout si vous supportez mal le froid. Une fois endurci, vous ne craindrez plus rien.

Souvenez-vous que :

> L'EXCES EN TOUT EST UN DÉFAUT :
> LE VRAI YOGI CONSEILLE TOUJOURS
> LA MESURE ET PROSCRIT
> TOUTE EXAGÉRATION.

La durée d'une séance

En moyenne générale, et parce que nous sommes des gens pressés, une séance doit normalement durer de vingt à trente minutes au grand maximum et dix au minimum. Entre ces deux extrêmes, vous pouvez toujours trouver un moyen terme.

Ce n'est pas le nombre de postures qui compte mais la qualité d'exécution. La première série d'asanas comporte huit postures, plus celle de repos total qui s'intercale pendant trente secondes environ entre chaque posture. Si chaque asana est gardé une à deux minutes, vous mettrez de dix à vingts minutes lorsque vous aurez bien assimilé sinon maîtrisé les exercices.

Attitude à avoir

Commencez chacune de vos séances avec calme, sans appréhension.

Ne crispez pas les traits de votre visage, que vos lèvres soient closes, sans être serrées, les mâchoires décontractées, la langue souple, la pointe s'appuyant contre la racine des dents supérieures. Fermez les paupières, à moitié ou complètement, toutes les fois que vous le pourrez pour mieux vivre l'exercice préconisé.

Que votre séance soit une sorte de "rite" pendant lequel vous vous plongez dans un bain de force.

Les gestes ainsi effectués nous mettent en rapport avec des énergies bienfaisantes et réveillent en nous des possibilités latentes.

Commencez toutes vos séances par quelques instants de respiration contrôlée (ujjayi) en position à genoux (A10) ou jambes croisées (A2) et terminez de même.

Faites suivre chaque posture que nous considérons comme dotée d'un facteur *positif* par une attitude de réceptivité *négative* sur le dos (A1) ou assis, ou debout comme nous le verrons.

N'oubliez pas la *phase intermédiaire* de rassemblement des forces entre une attitude de repos et l'attitude suivante.

Recommandation particulière

Puisque ce livre s'adresse à chacun de nous, homme et femme, une précision pour vous, Mesdames et Mesdemoiselles, est nécessaire. Malgré votre désir de ne pas interrompre votre entraînement, évitez chaque mois tout exercice qui pourrait vous fatiguer. A cette période, remplacez votre séance de postures par un quart d'heure de respiration contrôlée.

Quant au cas de grossesse et suivant l'avis de votre

médecin, en principe jusqu'au 5e mois, il n'y a pas de limitation particulière. A partir du 3e mois après l'accouchement, l'entraînement sera redevenu normal.

Pour tous : si vous êtes souffrant, consultez votre médecin et si vous tombez malade, soyez raisonnable : pendant la période aiguë de votre trouble, contentez-vous de tous les exercices indiqués, autres que les postures ou les respirations qui pourraient être contre-indiquées.

4

INTRODUCTION
A L'ART DE MIEUX VIVRE
PAR LA RESPIRATION

Tour d'horizon préliminaire

Puisque nous avons considéré la respiration comme la charnière sur laquelle s'articulait le hatha yoga, il est normal de commencer par là notre initiation.

Même si vous êtes familiarisé avec cette éducation, une courte rétrospective ne sera pas une régression mais une occasion d'affermir votre opinion.

Nul ne songe à contester l'importance de l'acte respiratoire mais, parce qu'il s'exécute naturellement, on risque de négliger un élément immédiatement à notre portée capable de nous conduire à cette "seigneurie de nous-même" que nous recherchons en premier lieu.

Parce que le yoga semble la plus ancienne des méthodes pratiques connues, il ne s'ensuit pas nécessairement que seuls les yogis se soient rendus compte de cette étrange semi-liberté physiologique dont jouisse l'être humain.

De tous temps et en tous lieux, cette fonction a été et reste toujours celle dont la mystérieuse indépendance passionna les hommes.

Les grands initiés, promoteurs de religions, et les Sages, qui leur succédèrent, qu'ils soient indo-européens ou asiatiques, ont attribué à la respiration un double rôle : relier l'âme et le corps, et permettre à l'esprit de dominer la matière.

Nous retrouvons cette double acception dans les sens propre et figuré des mots de notre langage intéressant la respiration.

Ainsi, "inspirer", significatif de reprendre son souffle, est aussi synonyme en premier lieu d'illumination et de direction, d'influence.

Cette analogie laisse entendre que le souffle peut "élever" aussi bien l'esprit que la cage thoracique.

Le maintien de la vie correspond à trois fonctions fondamentales :

1) Les fonctions de *nutrition*, dans lesquelles on distingue : la digestion, l'absorption de nourriture, la circulation, la respiration et l'excrétion ; chacune de ses fonctions s'accomplit par l'intermédiaire des appareils digestif, circulatoire, respiratoire, excréteur ;

2) Les fonctions de *relations* mettant l'individu en rapport avec le milieu extérieur et lui permettant d'enregistrer les excitations et de les transformer en réactions motrices grâce aux appareils nerveux, sensoriels, musculaires et articulaires ;

3) Les fonctions de reproduction, que nous citons pour mémoire, car elles n'ont qu'un rôle accessoire dans le cadre de notre étude.

L'ensemble de ces fonctions devrait former un tout harmonieux et coordonné, ce qui ne paraît pas être le cas pour tous ni toujours.

Quelques remarques s'imposent qui vont nous permettre des déductions utiles.

Tout d'abord, si ces divers appareils par lesquels se manifestent nos fonctions vitales sont autonomes, leur équilibre fonctionnel dépend de l'ensemble organique : en effet, par toutes les fonctions de notre organisme nous sommes en relation avec le monde extérieur. *De sorte que la modification* de l'une d'entre elles peut avoir pour conséquence de faire varier les autres : une bonne ou une mauvaise digestion, une bonne ou une mauvaise circulation, etc., agissent immanquablement sur nos réactions internes ou externes.

Toutefois notre vie active et consciente est intermittente, elle est interrompue par le sommeil. Quant à l'alimentation, si souvent répétée qu'elle soit, elle n'est pas continue comme la respiration.

Seuls les poumons, de notre premier à notre dernier souffle, maintiennent une liaison constante entre le principe de vie corporelle de l'homme et son principe incorporel.

De là à conclure que le souffle établit une transition entre la vie de la matière et la vie de l'esprit, il n'y a qu'un pas que tous les Sages ont franchi.

Nous le franchissons à notre tour en nous demandant si cette liberté inexplicable ne nous a pas été accordée afin de nous en servir intelligemment.

Nanti de ces certitudes, qu'attendons-nous pour commencer ?

Je ne sais pas respirer, dites-vous.

Peut-être que *vous* ne savez pas, mais votre corps *lui* le sait.

Il le sait même très bien, sinon vous ne liriez pas ces lignes ayant depuis longtemps rejoint des lieux réputés meilleurs.

Comment respirons-nous

Mal, sans doute, mais pourquoi ?
Peut-être parce que notre volonté ne sait pas comment régler le souffle ; ensuite parce que, le sachant, elle ne le fait pas ; mais surtout parce que nous "ne laissons pas jouer l'automatisme de cette respiration".

Malgré les possibilité que nous avons d'en modifier

la fréquence et l'amplitude, la respiration est réglée par des *automatismes* freinateurs ou excitateurs naturels.

Que se passe-t-il donc ?

Cette liberté que nous avons reconnue se retourne contre nous. N'est-ce pas l'inconvénient de toute liberté, arme à double tranchant, lorsqu'on ne sait pas s'en servir ?

Dès qu'une émotion nous étreint, c'est-à-dire nous resserre, nous contracte, notre organisme tout entier se met en état d'alerte : le coeur bat plus vite, la circulation s'accélère, la respiration suit ou dirige le mouvement, les muscles se contractent, etc. Ces manifestations ne sont que l'expression d'une sorte de branle-bas de combat pour nous permettre d'attaquer ou de fuir.

Or, dans notre monde policé, il nous est difficile d'exprimer toujours ce qu'on pense ou ressent par un geste de fuite ou un acte agressif.

Par exemple, vous voyez-vous gifler ou insulter la personne dont dépend votre situation ?

Que se passe-t-il alors ? Vous pouvez quelquefois fuir ou vous retirer dignement... mais la rancoeur reste et votre état de tension aussi...

Notre organisme, dont la "pensée instinctive" attend l'ordre de "défoulement" ou de cessation d'alerte, reste tendu même lorsque cet état préparatoire ne se justifie pas.

Ainsi quelques heures après un choc émotif, bien que la cause se soit éloignée, notre respiration reste localisée dans la région "sonnette d'alarme" et nous nous sentons angoissé ou fatigué sans raison, ayant oublié les causes primitives. Cela dure tant qu'on n'a pas pu pousser le soupir de soulagement qui, dénouant notre contraction, soulignera notre acceptation du fait accompli ou la disparition de celui-ci. Quelle que soit l'origine de cette contraction elle a perturbé notre respiration de trois façons :

- dans sa localisation naturelle,

- dans son rythme régulier,

- dans sa fréquence normale.

Voilà, le triptyque qu'il convient d'étudier et que le hatha yoga codifie.

Mais, tout d'abord, pour que notre moteur humain retrouve sa cadence de croisière, il importe de le remettre au point mort afin d'embrayer sur une vitesse supérieure.

Si cette image mécanique se trouve dépassée par l'embrayage automatique, disons tout simplement qu'il faut lâcher le souffle avant de le reprendre.

Lorsqu'on vous annonce qu'une contrariété n'a pas eu de conséquence fâcheuse, ou lorsque vous avez achevé une tâche astreignante, n'êtes-vous pas tenté de dire en expirant : "Ouf ! c'est fini."

Qu'est donc cette interjection accompagnant une expiration, sinon le signe qu'une soupape de sûreté de l'organisme lâche enfin une contraction devenue inutile ?

Pourquoi n'aiderions-nous pas la nature en expirant volontairement, profondément, calmement de temps en temps ?

Découvrez le soulagement de l'expiration

Votre premier contact avec le *pranayama* ou maîtrise de l'énergie incluse dans le souffle, consistera à laisser fuser ce trop-plein de force qui, au lieu d'être utilisable, devient source de blocage.

De plus, expirer correspond au rejet de l'air usé permettant à l'air frais de régénérer votre sang.

Pour cela, regardez-vous respirer quelques instants.

Asseyez-vous aussi confortablement que possible, sans prendre appui sur le dossier de votre siège. Corrigez votre attitude en redressant le torse doucement. Le dos, la tête seront sur une même ligne dans la mesure du possible. Détendez vos épaules, vos bras, vos mains qui reposent sur les genoux ou la table.

Fermez les yeux et respirez par le nez, sans bouger. Vous allez faire connaissance avec les trois points respiratoires que nous avons signalés plus haut.

Vous vous apercevez que le va-et-vient de l'air entrant et sortant par les narines peut n'être pas régulier. L'inspiration est généralement moins longue que l'expiration. Vous faites connaissance avec le *rythme.*

Après avoir expiré, si vous êtes calme et détendu, vous noterez entre le moment de l'expiration et celui de l'inspiration un court temps d'arrêt pendant lequel on attend que l'envie d'aspirer déclenche l'inspiration suivante.

Cette phase de repos entre les deux périodes respiratoires modifie la *fréquence* du souffle. Lequel s'amplifie, se ralentit, s'accélère suivant les besoins de l'organisme ou l'état de calme ou d'agitation.

Poursuivons nos investigations.

D'où part le mouvement de votre respiration ?

- Du *ventre,* dont la paroi se gonfle et se dégonfle légèrement.
- De la *partie médiane du torse,* dont les côtes s'élèvent et s'abaissent, ou :
- Du *sommet de la poitrine,* soulevant et abaissant les épaules.

Vous avez ainsi repéré la *localisation* de votre respiration.

Continuez ces prises de conscience respiratoires en

insistant sur la phase *expiratoire*. Attendez nettement que l'envie d'inspirer se déclenche d'elle-même sans que vous aspiriez volontairement. Après cette inspiration, expirez à nouveau, attendez et continuez.

Si vous avez noté que la localisation respiratoire se situe près du sommet de la poitrine, vous avez une respiration de nerveux.

C'est la région que nous avons appelée zone de sonnette d'alarme, celle qui vous fait dire : je suis oppressé, angoissé, j'ai la gorge serrée...

Il est urgent que vous reconsidériez cette localisation d'une manière plus conforme à la nature.

C'est ce que nous allons étudier au chapitre suivant.

Pour l'instant, ce tout petit exercice peut s'insérer dans votre journée pendant une à deux minutes au plus, c'est un excellent moyen de vous ressaisir.

5

COMMENT
FAUDRAIT-IL RESPIRER ?

Vous avez commencé à prendre conscience de votre respiration que vous qualifiez de mauvaise, d'insuffisante ou même de bonne, pourquoi pas ?

Il est vraisemblable que ce ne sont pas ces premiers essais qui ont pu modifier profondément cette fonction dans le cas où elle ne répondrait pas aux normes naturelles.

Nous allons maintenant vous donner les procédés pratiques d'amélioration définitive.

Si nous étions des êtres purement instinctifs, comme du temps de notre première enfance, nous respirerions naturellement et bien. Sous réserve toutefois qu'aucun trouble maladif congénital ou accidentel ne s'y oppose.

Un bébé normal respire correctement sans le savoir. Lorsqu'il rit, pleure, s'amuse, s'endort, sa respiration s'adapte à ses besoins organiques à chaque instant.

Notons en passant que le rire est une expiration donc une détente, les larmes aussi d'ailleurs, mais après une profonde inspiration, si longue que parfois la maman s'inquiète.

Avant tout, faisons, pour vous lecteur, un sort définitif à l'erreur de croire que les femmes et les hommes possèdent une localisation respiratoire différente.

Pour les premières, en effet, on a dit qu'elles avaient une respiration thoracique, c'est-à-dire soulevant la poitrine plus que le ventre. Pour les hommes ce serait l'inverse, le ventre se gonflant plus que la poitrine ne se dilate.

En réalité s'il y a effectivement, comme nous l'avons vu au chapitre précédent, des localisations hautes, médianes et basses, celles-ci ne soulignent qu'une phase respiratoire due à l'effort ou à la particularité du sujet.

Toute respiration normale, pour les deux sexes, devrait d'abord être *abdominale,* c'est-à-dire diaphragmatique et, selon les besoins, *s'amplifier vers le thorax.*

Nous vous faisons grâce d'explications anatomiques car vous pouvez approfondir la question vous-même si vous le désirez.

Il est exact cependant, nous a dit un médecin, qu'on note quelquefois chez le bébé fille une tendance à une respiration plus thoracique qu'abdominale. Il se peut que la nature prévoie le rôle de mère qu'elle jouera plus tard, pendant lequel la respiration abdominale limitée par le fardeau qu'elle portera sera compensée par une respiration thoracique.

D'autre part, la crainte de perdre un ventre plat peut favoriser une tendance respiratoire.

En réalité, Mesdames et Mesdemoiselles, si vous voulez respirer normalement et de ce fait vivre moins sur vos nerfs, il vous faut reprendre une respiration plus conforme à la nature.

Il ne s'ensuit pas nécessairement que les hommes possèdent la faculté d'une respiration naturelle. Il en est beaucoup qui, outre cette crainte d'un ventre envahissant ou parce que les deux respirations (haute et basse) sont complémentaires, ou encore par émotivité, ne respirent pas comme ils le devraient.

Comment remédier à cette défectuosité ?

Le plus simple est de commencer par une des postures du yoga que nous rencontrerons à chaque pas.

Cette première posture qui semble, à première vue, plus facile qu'elle ne l'est, porte un nom sombrement évocateur d'un état qu'on souhaite lointain.

Ce nom sonne à notre oreille plus harmonieusement en sanscrit qu'en français : *shavasana* ou *mrta*, lorsqu'on sait que *sava* et *mrta* veulent dire "cadavre" et qu'il s'agit donc de l'attitude de la mort.

Cela signifie que, pendant cette posture, nous devons mourir à toutes nos préoccupations, à nos énervements, à nos fatigues, à nos contrariétés, à nos contractions, etc., tout en restant présent, c'est-à-dire sans nous endormir, ce qui arrive fréquemment au débutant ou à la personne trop fatiguée.

Ainsi définie elle nous devient plus sympathique et nous l'appellerons "posture du grand repos".

Pour la prendre il n'est besoin d'aucune faculté particulière.

A1 - Posture du grand repos (shavasana)

Après avoir, de vos vêtements masculins ou féminins, desserré tout ce qui pourrait entraver la circulation et la respiration, tels que col, ceinture, etc., disposez par terre un tapis, une carpette, une couverture ou toute autre protection de votre choix. Etendez-vous sur le dos de tout votre long.

Il est important que ce soit le sol, c'est-à-dire une surface plane et dure, non un lit ou un divan, afin que le corps soit bien allongé sans accentuation des courbures vertébrales naturelles.

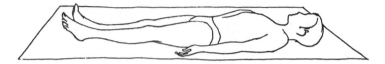

A1

Les bras légèrement écartés sont étendus le long du corps ; les paumes des mains tournées vers le haut sans effort exagéré de torsion, les doigts souples. Les jambes sont séparées, les pointes des pieds tombant vers l'extérieur.

La tête repose sur la base du crâne : le menton rentré appuie sans exagération contre le creux de la gorge et n'est pas pointé vers le plafond, pour allonger les vertèbres du cou. Ce même menton doit se trouver ainsi sur une ligne imaginaire se prolongeant vers le nombril.

Cette attitude une fois prise, lâchez toute tension subsistant dans les différents groupes musculaires, surtout ceux du visage ; le front est détendu, les lèvres se rejoignent naturellement en s'entrouvrant suivant leur forme ; la langue elle-même ne bouge pas.

Placez l'une de vos mains sur le ventre, l'autre sur la poitrine ; expirez, c'est-à-dire laissez s'échapper l'air de vos poumons *par les narines* : notez l'affaissement de la cage thoracique et du ventre, et... attendez que le besoin d'inspirer se fasse sentir, pour laisser pénétrer l'air par les narines.

Si, à ce moment-là, les deux mains se soulèvent : c'est que vous avez inspiré volontairement un peu trop profondément : recommencez, expirez à nouveau.

Si la main reposant sur la poitrine se soulève seule, vous avez une respiration thoracique.

Si la main reposant sur le ventre se soulève seule, vous avez une respiration abdominale.

Habituez-vous à ne ressentir que cette dernière. Certains y parviennent immédiatement, d'autres au bout de plusieurs tentatives. Ne vous découragez jamais.

Ces essais terminés, asseyez-vous.

A2 - Posture aisée (sukhasana)

Nous allons rencontrer une autre difficulté, celle de nous asseoir confortablement, autrement que sur nos sièges.

Vous êtes assis sur votre tapis, les jambes allongées devant vous et écartées. Repliez le genou gauche de façon à placer votre pied sous le genou droit. Ne rapprochez pas trop la jambe du corps, laissez un espace de 20 cm environ, puis repliez le genou droit, le pied venant se placer sous le genou gauche. Placez vos mains sur les genoux.

Redressez votre dos par une extension intérieure de bas en haut, des reins à la nuque : non en rejetant les épaules en arrière, celles-ci tombent naturellement.

Ce redressement est un allongement des vertèbres partant du bassin et des hanches : il correspond au geste que vous feriez si vous vouliez vous grandir en repoussant le curseur d'une toise placé au sommet du crâne.

Cette attitude, une fois prise plus ou moins confortablement (nous y reviendrons), observez à nouveau votre respiration de la façon suivante :

1) Placez vos deux mains à la hauteur de la taille, de chaque côté du torse. Respirez amplement, sans vous crisper, en repoussant alternativement les

mains au rythme de votre souffle plusieurs fois, puis :

2) Placez vos mains sur le dos, les paumes tournées vers l'extérieur, et respirez. Notez le mouvement des côtes selon le rythme de la respiration.

Ensuite :

3) Placez une main sur la poitrine et une autre sur le côté, observez l'élévation du torse et l'écartement des côtes.

Enfin :

4) Descendez vos deux mains vers la région abdominale et constatez à l'inspiration le léger gonflement du ventre, suivi de sa rétraction à l'expiration. (Conjointement d'ailleurs avec la motion des côtes déjà observée en 1.)

A2

Vous avez ainsi réalisé ce que certains auteurs appellent la respiration complète. Celle dont l'exécution intéresse l'ensemble du système respiratoire.

Cette respiration complète n'est utile que lors d'un effort. En réalité, on n'emploie généralement que l'une des phases déjà énumérées : haute, médiane, basse.

De la basse ou abdominale dépend la bonne exécution des autres.

Celle-ci étant la seule qui nous préoccupe pour l'instant, respirez calmement en observant le va-et-vient du ventre et des côtes.

Encore une fois, si vous n'y parvenez pas immédiatement, cela viendra. Evitez de pousser le ventre en avant pour mieux souligner l'inspiration, laissez-le se gonfler de lui-même.

Il ne vous reste plus qu'à surveiller de temps et temps l'existence de cette respiration abdominale retrouvée et de la reprendre chaque fois que c'est nécessaire.

Dans la journée.

Il est bien évident que, si vous ne respirez bien que quelques instants par jour, aussi valable que cela soit, vous risquez de piétiner indéfiniment.

Le yoga ne se justifie que par la modification profonde et définitive de notre structure intérieure et extérieure. Les séances régulières auxquelles nous allons vous convier ont pour objectif le retour à une activité naturelle permanente, moyennant une surveillance répétée, au début tout au moins.

Aussi vous est-il recommandé de temps en temps, à vos moments dits perdus, de vous observer.

Qui vous empêcherait de redresser le buste, de noter puis de rectifier si besoin est votre respiration, assis à votre bureau ou en quelque endroit que vous vous trouviez ?

De même en marchant vous rendant d'un point à un autre, ou simplement debout, observez-vous. Dans les deux cas, l'attitude du tronc est la même qu'en position assise.

N'oubliez pas de commencer par une expiration lente et profonde ; attendez l'envie d'inspirer et, au lieu de bomber la poitrine pour aspirer l'air, laissez jouer la paroi abdominale et les côtes basses.

On sait très bien que cette observation de soi est fréquemment oubliée. Vous avez intérêt à vous l'imposer à heure fixe le matin et le soir.

Le matin

Après votre toilette, asseyez-vous en posture aisée (A2) et, pendant quelques minutes, reprenez la localisation de votre souffle comme indiqué.

Bien entendu, dès que, sans vérifier avec les mains, vous pouvez vous rendre compte du fonctionnement de l'ensemble respiratoire, la vérification deviendra inutile et vos mains reposeront sur les genoux, simplement.

Respirez calmement pendant plusieurs minutes, selon le temps dont vous disposez, en insistant sur l'expiration.

Le soir

Avant de vous mettre au lit, étendez-vous en posture du grand repos (A1) pendant quelques minutes, exercez-vous à vous détendre et à respirer doucement par le ventre.

C'est une excellente préparation au sommeil. De plus, si vous souffrez d'insomnie, au moment où vous vous éveillez la nuit, recommencez tout de suite à pratiquer votre respiration abdominale *sans aucun effort d'aspiration profonde* et vous pourrez mieux vous rendormir.

6

DEVONS-NOUS CHOISIR UN RYTHME RESPIRATOIRE ET COMMENT ?

Tout d'abord, pourquoi un rythme ?

Parce que dans la nature vivante à laquelle nous appartenons et participons, tout obéit à la loi de l'alternance de la tension et de la détente.

Ainsi en est-il, extérieurement, de la succession du jour et de la nuit, du va-et-vient des marées, comme intérieurement de l'expiration qui succède à l'inspiration, de même que les diastoles et systoles du coeur.

Chacune de ces cadences, plus ou moins régulières, comporte la période de détente qui suit l'activité.

Ces cadences peuvent être exactement compensatrices, elles suivent alors un rythme alternatif proportionnel, ou, au contraire, ne pas remplir leur rôle équilibrant, quand il existe une arythmie accidentelle ou permanente, cause de fatigue et de perturbation.

Par la localisation du souffle, vous possédez un moyen de dominer certaines de vos réactions émotionnelles de faible importance, ou même d'agir sur elles avant qu'elles ne deviennent plus sérieuses.

Cependant, il serait trop beau que la localisation juste, c'est-à-dire abdominale, aussi indispensable qu'elle soit, suffise.

Il vous faut encore connaître et utiliser le rythme correspondant à la durée idéale des deux phases respiratoires.

Pour la plupart d'entre nous, en l'absence de troubles émotionnels et à l'état de repos, cette durée idéale correspond généralement pour l'expiration au double du temps mis à inspirer, soit 1/3 pour cette phase et 2/3 pour la première.

Vous observerez plus aisément cela sur une personne endormie, lors de son premier sommeil, que sur vous-même, car vous risquez involontairement de modifier votre cadence rien qu'en l'observant.

De toute façon, ne vous croyez pas tenu de chercher un partenaire bienveillant sur lequel effectuer ce contrôle. Vous pouvez croire sur parole ce qui vous est dit et commencer à vous exercer.

Pour cela reprenez votre attitude assise, à terre ou sur un siège ; localisez votre souffle et comptez mentalement 1, 2, 3, etc., pendant votre inspiration ; puis, expirez en comptant de même.

Certaines personnes, bien que respirant normalement inconsciemment, sont au début incapables de doser leur souffle consciemment et mettent plus longtemps à inspirer qu'à expirer. Si tel est votre cas, ne vous désolez pas et... inspirez plus vite tout simplement.

Les quatre phases du souffle

Cela se complique ! penserez-vous. Nous avions deux temps, en voici quatre !

Ne vous inquiétez pas, ces deux temps supplémentaires ont toujours existé mais sont tellement rapides que nous n'en avons pas la notion. Ce sont les phases de passage de l'inspiration à l'expiration et vice versa. Ces phases, maintenues volontairement, deviennent des *rétentions* : poumons pleins après avoir inspiré, ou poumons vides après avoir expiré.

La vieille langue sanscrite nous apporte une note de poésie par ses termes particuliers :

- l'inspiration se dit *puraka,* qui signifie *emplir,*
- l'expiration se dit *rechaka,* qui signifie *vider,*
- la suspension de souffle se dit *kumbhaka,* qui signifie *calice* et, selon que cette suspension a lieu après l'inspiration ou après l'expiration, on la nomme *antara kumbhaka,* calice interne, ou *bahya kumbhaka,* calice externe.

Nous vous donnons ces mots, en passant, pour votre information d'abord et non pour vous proposer l'étude du sanscrit, mais aussi pour en quelque sorte sacraliser un acte trop banal et valoriser par une sorte de rituel.

Ces phases sont de durée extrêmement variable ; disons qu'elles forment le clavier dont se sert le yogi pour harmoniser en lui son énergie.

Pour peu qu'on ait feuilleté ou étudié des ouvrages traitant de yoga, la multiplication des façons de respirer proposées désoriente le profane.

Cette variété permise par la liberté respiratoire dont nous bénéficions, provient de la diversité des buts poursuivis.

Chaque façon de respirer correspond à une manière différente d'attaquer la difficulté à surmonter.

Suivant que le pratiquant désire se dynamiser, se détendre, se désintoxiquer ou se préparer à la concentration, le rythme ne sera pas le même.

La manière de procéder diffère aussi selon la transmission reçue, les variantes imposées par les cas particuliers, les altérations inévitables des diffusions écrites ou orales.

Comment s'y retrouver ? En essayant de comprendre la raison de l'enseignement prescrit et en serrant de très près ce qui est naturel.

Sachons qu'à vouloir améliorer notre respiration sans discernement et en brûlant les étapes, nous courons le danger de fausser le mécanisme délicat de cette fonction.

La nature ne doit pas être contrariée mais aidée, guidée.

Voilà qui, apparemment, est plus facile à dire qu'à faire.

En effet, ayant quasiment perdu le contact avec la nature, nous ne savons plus entendre sa voix.

Nous avons déjà vu plus haut que lors d'une réaction d'inquiétude, légitime ou non, nous restons bloqués par nos tensions, même lorsque les causes initiales ont disparu. De sorte que nous gardons une respiration syncopée dont le rythme ni l'emplacement ne correspondent à nos besoins actuels. C'est la raison pour laquelle, en tout premier lieu, il convient d'apprendre à expirer. Puis de rétablir ou de maintenir la *localisation abdominale* sur laquelle doit s'appuyer la respiration ; cela ne doit plus poser pour vous d'autre problème que celui de l'entraînement.

Avant d'aborder une pratique plus complète, il nous reste à examiner le pourquoi de la durée des période respiratoires compliquées par les temps d'arrêts poumons pleins et vides.

Si nous admettons, avec toutes les sagesses asiatiques, l'existence et la consistance de forces positives et négatives, nous retrouvons dans la respiration la même dualité de deux énergies s'équilibrant sans s'opposer et se complétant pour que "passe le courant de vie qui nous anime".

Partant de cette donnée, l'erreur à éviter serait de vous dire : "Je suis fatigué, déprimé, sans forces, donc je manque d'énergie positive, je dois donc inspirer (+) pour prendre des forces."

Vous ne feriez qu'épuisez davantage un organisme surmené qui, au demeurant, ne demande qu'à se ressaisir si vous lui en donnez la possibilité.

Il n'est pas utile de chercher à savoir ce qui convient à notre organisme, mais plutôt de lui laisser prendre ce dont il a besoin, sans faire obstacle à cette force naturelle qu'est la sagesse instinctive du corps.

Le hatha yoga nous propose en effet deux objectifs : le premier, immédiat, rétablir et maintenir un fonctionnement harmonieux de notre ensemble humain ; le deuxième, plus lointain, dépasser et élargir le plan humain si possible. Cela correspond à la respiration naturelle et aux respirations d'exercices, les secondes aidant à retrouver la première, mais ne pouvant s'approfondir que si celle-ci est respectée.

Voilà pourquoi il convient de distinguer les bases correctes pour nous reconstruire.

La respiration naturelle

On compare assez justement la respiration à une façon de s'alimenter, donc d'ingérer et d'assimiler pour restituer de l'énergie.

Les deux temps respiratoires principaux, naturellement réglés, permettent cette alimentation permanente.

La durée plus prolongée de l'expiration représente à la fois la phase d'assimilation et de répartition énergétique.

Plus la respiration est lente et profonde, moins on dépense d'influx nerveux, et mieux on économise de l'énergie.

Sachons que la surface à nettoyer, si l'on peut employer cette expression, correspond à peu près à

25 fois celle de notre peau. En effet, les poumons se composent d'environ 600 à 750 millions d'alvéoles dont la surface totale à plat serait de 56 m2.

Chaque alvéole est pris dans un filet ténu de capillaires, si ténu que les globules rouges n'y passent qu'en file indienne. Jugez de l'intérêt d'un nettoyage profond par l'expiration qui chasse le maximum d'air vicié.

Il existe un curieux adage indien : "Les dieux octroient à chaque homme à sa naissance un volume d'air personnel, lorsqu'il a épuisé son attribution il meurt."

Fort de ce principe, ne vous empressez pas, poussé par un soudain souci d'économie vitale, de restreindre votre respiration en vue d'un bénéfice de longévité.

Cette image nous confirme simplement, par-delà les siècles, les observations médicales citées au chapitre précédent et qui résument le conseil suivant :

Aussi souvent que vous y pensez, *respirez calmement sans effort selon le rythme naturel d'une inspiration plus courte que l'expiration.*

Toutefois cette façon de respirer doit être obtenue volontairement tant que l'habitude n'est pas ancrée en nous. En effet, hors d'un effort, tel qu'exercice physique, marche rapide, etc., notre respiration habituelle est généralement superficielle. Ce n'est pas à proprement parler un défaut, puisqu'au repos l'organisme n'a pas besoin de plus d'air qu'il n'en consomme, mais la suppression presque systématique de l'effort musculaire dans la vie moderne entraîne une *sous-alimentation* énergétique et *non une économie* de force.

D'où l'intérêt, sinon la nécessité, de recourir à une *suralimentation* dosée et judicieusement réglée.

D'ailleurs, à défaut de cette suralimentation, notre organisme essaie lui-même de se défendre par ses propres moyens en déclenchant périodiquement les soupapes de sûreté que sont le bâillement (large inspiration) ou le soupir (longue expiration).

L'un et l'autre réflexes sont provoqués par un ralentissement de la ventilation pulmonaire, incompatible avec l'état de veille.

Ainsi le bâillement résulte de l'insuffisance d'oxygénation, conséquence d'une diminution respiratoire due à l'ennui, la fatigue, la mauvaise digestion, empêchant le jeu du diaphragme. Par le soupir, ou l'expiration, l'organisme relâche ses tensions exagérées.

Conditions d'une respiration appropriée

La fréquence respiratoire est fonction de l'âge, de l'état de santé, d'agitation ou de calme du sujet. C'est dire que nous respirons, suivant les cas, de 15 à 40 fois par minute, ce qui correspond à environ 26 000 fois par 24 heures ; soit 5 600 000 fois en 60 ans.

Toutefois, nous n'utilisons, sauf au moment d'un effort, qu'un huitième de la capacité de nos poumons, ceux-ci restent continuellement sous-ventilés.

La fréquence idéale est, bien sûr, celle qui, correspondant aux nécessités du moment, resterait compatible avec une respiration ample sans effort ni tension.

Pour atteindre ce résultat, vous avez maintenant les éléments de travail nécessaire avant d'aborder les exercices spéciaux du pranayama.

Récapitulons ces éléments :

Respectez aussi souvent que possible et en tout état de cause au moment de votre séance les points suivants :

1) *Une respiration par le nez*, et ce, pour des raisons que nous détaillerons plus loin. Cet organe est le lieu de passage naturel de l'air dans les deux sens, la bouche n'intervenant que momentanément ou

accidentellement ;

2) Une respiration à prédominance abdominale avec élévation naturelle des côtes basses ;

3) Une respiration au rythme régulier, sans saccades, le temps de l'inspiration plus court que celui de l'expiration.

4) Pour respecter ces trois points, il est nécessaire que l'attitude du corps soit droite sans excès d'extension, quelle que soit la position des jambes adoptée ou supportée.

Imposez-vous chaque jour, le matin ou le soir, quelques minutes de pratique avant d'aller plus loin.

7

LES TECHNIQUES
DE CONTRÔLE
DU SOUFFLE

Prana et pranayama

Quelle mystérieuse résonance possèdent ces termes, plus évocateurs de mystères insondables que leurs synonymes ?

Pourtant il nous faut bien les traduire afin de comprendre ce dont il s'agit.

Souffle, respiration, vie vitalité, énergie, force, tels sont les sens applicables à *prana*.

Expansion, étirement, allongement, contrainte, contrôle, tels sont les sens applicables à *ayama*.

Nous pouvons donc considérer *prana* comme désignant toute énergie qui exprime la vie, énergie primordiale ou bien énergie selon le terme bien choisi qu'emploie Y. Drenikoff dans son *Yoga, Science de l'homme* (Maloine).

Pranayama signifie alors : extension et contrôle de l'énergie vitale qui nous habite et nous anime.

Habituellement, lorsqu'on parle de pranayama, on ne pense qu'aux techniques de maîtrise du souffle.

Le souffle étant la quintessence de la vie, il est normal qu'une façon de dominer celle-ci sous toutes ces formes soit rattachée à ce qui la caractérise le mieux.

Il faut cependant donner à ce terme une signification beaucoup plus large, car le pranayama s'étend à tout ce qui favorise la vie.

De telle sorte que chaque geste, chaque parole, chaque pensée même, étant une expression manifestée du prana, en dosant nos tensions, en coordonnant nos efforts, en nous concentrant, en nous alimentant, aussi bien qu'en respirant, nous faisons des pranayama.

Ainsi une parole d'encouragement, un acte, volontaire ou non, émanent nécessairement de cette même énergie qui prend principalement, mais non exclusivement, sa source dans la respiration.

Qu'est-ce donc que ce mystérieux prana ?

Si nous le savions, nous aurions résolu le problème de la vie.

Malgré les tentatives de chercheurs scientifiques croyant trouver le prana dans un gaz rare contenu dans l'air ambiant, force nous est d'admettre que, pour le moment, rien ne remplace la définition donnée par un endocrinologue indien formé à nos disciplines de pensées occidentales, le docteur Mishra :

"Prana, c'est la somme de toute énergie qui réside dans l'univers, aussi bien à l'état non manifesté du noyau qu'aux états manifestés liquides, solides, gazeux de la matière[1]."

Selon la pensée indienne qui rejoint la pensée chinoise, antique, avec le ch'i analogue du prana, cette énergie se trouve *dans* toutes les formes de matière animée, *sans être* cette matière ni aucune autre substance.

Elle se trouve *dans* toutes les nourritures solides,

---

1   Dr. MISHRA : Fundamentals of Yoga. Jullian Press N.Y.

liquides ou gazeuse *sans être* ni vitamine, ni cellule, ni molécule ; chacun de ces états de la matière ne sont que les véhicules de cette force.

L'électricité, comme le magnétisme, n'aurait de réalité énergétique que par le prana.

Les saints et les prophètes, les grandes figures de la science et des arts, les hommes de grand rayonnement, quel que soit leur rôle, seraient des accumulateurs et des utilisateurs prédestinés de prana. Le contrôle de cette formidable énergie nous donnerait la maîtrise sur toutes les formes vivantes individuelles et cosmiques.

N'est-ce pas une délirante affirmation ?

Que non pas puisque :

Sur le plan individuel

Outre les catégories déjà citées plus haut, des yogis ont démontré sans contestations possibles leur faculté *acquise* ou *innée* d'orienter, d'augmenter, de diminuer, de répartir cette énergie dans leur corps.

Parallèlement, les véritables guérisseurs, par le magnétisme ou la concentration de pensée, sont des utilisateurs privilégiés, conscients ou non, du prana.

Quant à la médecine chinoise, ne se propose-t-elle pas de rétablir ou de permettre, par l'acupuncture, la circulation d'une certaine énergie Yang, positive, et Yin, négative ?

Cette entité énergétique n'est autre que le prana dirigé par le jeu d'aiguilles judicieusement manoeuvrées, comme le yogi équilibre le *ha* et le *tha* par les respirations et les postures.

Sur le plan humain général

La maîtrise des multiples forces de la nature, dont la plus récente et spectaculaire, celle de l'énergie nucléaire, ressortit, ne vous en déplaise, au prana et au pranayama.

De quelle façon maîtriser le prana à notre échelle personnelle ?

On devrait écrire cette question au pluriel, mais comme il s'agit uniquement de respiration, pour l'instant, laissons-la au singulier.

Nous savons maintenant, ou, mieux, nous nous souviendrons que, dans toutes les forces de la nature une donnée réapparaît toujours : la notion de double énergie.

Des particules constituant l'atome, au courant électrique dont chacun sait qu'il est positif ou négatif, tout est soumis à la présence de deux facteurs énergétiques opposés et inséparables.

La respiration, manifestation de la vie donc du prana, ne fait pas exception à cette règle, non seulement parce que l'inspiration est considérée comme force négative, mais par la façon de respirer.

Cette façon particulière nous fournit le moyen, sinon de dominer immédiatement le prana, tout au moins de le domestiquer en partie pour commencer, et par la suite de nous en assurer le contrôle de plus en plus serré en jouant sur les *polarités de la localisation respiratoire*.

Prêtez-nous un peu d'attention et vous aurez les leviers de commande de cette bio-énergie.

La formule magique du souffle

Ce terme n'est pas exagéré, car le procédé que nous allons vous indiquer éclaire d'un jour nouveau tous les exercices respiratoires.

D'une source inconnue, nous tenons en effet une formule qui, si elle ne semble pas avoir de corrélation avec la réalité physiologique occidentale, nous permet de doser avec précision la conduite de la respiration et nous offre un moyen mnémotechnique pour nous rappeler ce dosage.

Si l'on considère le trajet normal du souffle, manifesté par les modifications de volume de la cage thoracique et de la région abdominale, nous avons les quatre points suivant auxquels nous affectons un signe + ou - correspondant à sa valeur positive ou négative :

1) Le nez sera considéré comme doté du signe +,

2) La gorge sera considérée comme dotée du signe -,

3) La poitrine sera considérée comme dotée du signe +,

4) La région abdominale sera considérée comme dotée du signe -.

La règle sera de ne pas mélanger volontairement les signes de même valeur.

Evitez, par exemple, d'inspirer par le nez en élevant la poitrine, ce qui en cumulant les signes + et + vous placerait dans un état tensionnel contre lequel nous vous avons mis en garde.

D'autre part, ne respirez pas non plus par la gorge et le ventre (- et -) sauf au moment de vous endormir où un certain excès de passivité est normal et sans inconvénient.

Remarquons que la *respiration naturelle*, longuement examinée lors des chapitres précédents, obéit à cette prescription par sa respiration nasale (+) et abdominale (-).

Quant aux *respirations d'exercice*, elles seront tantôt nasale et abdominale comme la respiration naturelle, tantôt gutturale et thoracique, voire nasale et thoracique, mais alors chaque narine est considérée comme conduisant un courant négatif pour la narine gauche, positif pour la droite.

Respiration par la gorge ?

Voilà un élément nouveau pour beaucoup de lecteurs.

Pourtant la gorge correspond bien au passage normal de l'air inspiré et expiré par le nez.

Vous êtes cependant en droit de vous demander ce que cela veut dire.

Il n'est que de rendre audible le passage de l'air par l'arrière-gorge en resserrant légèrement cette région.

Exceptionnellement, pour mieux comprendre, inspirez et expirez rapidement par la bouche ouverte, comme si vous étiez essoufflé.

Continuez ce halètement en refermant la bouche, respirez ainsi en pompant et expulsant l'air par l'arrière-gorge et non par le nez, lieu de passage passif.

On y parvient immédiatement ou après quelques essais infructueux. Pour plus de commodité, appuyez le menton contre le creux formé par les deux clavicules et la partie supérieure du sternum, en bref contre la gorge ; cette attitude se nomme en sanscrit *jalandhara bandha* ou contradiction du réseau.

Dès que vous avez réussi, reprenez une respiration plus ample et lente en gardant cette légère sonorité gutturale partant de la racine du palais.

Cette modulation ressemble à la prononciation intérieure du son : s..s..s..â..â..â pendant l'inspiration, et h..h..h..â..â..â pendant l'expiration, le "h" est dur et non aspiré, comme dans la prononciation de la lettre espagnole "j" ou jota.

Cette sonorité, que vous trouvez peut-être bizarre, n'est autre que que celle très normale émise par une personne dormant profondément. Elle prélude au ronflement, affliction qui n'atteint que les hommes, n'est-ce pas, Mesdames ?...

De toute façon, n'allez pas jusqu'à produire un son rauque, mais comme le disent les yogis, gardez une tonalité douce et agréable.

Ce bruissement, lors de la respiration, se trouve quelquefois mentionné dans les ouvrages sur le yoga, mais généralement les auteurs n'insistent pas assez sur son importance soulignée maintenant par le respect du "signe moins" qu'il représente.

Peut-être aussi, la difficulté de transcrire clairement la manière de l'obtenir a-t-elle rebuté.

Les traités de yoga originaux, toujours très imagés, disent que cette façon de respirer "imite le bruit de l'abeille mâle".

En admettant que ce "bourdonnement" soit proche de la réalité, sa transcription sur le plan pratique est pour le moins malaisée.

Nous espérons avoir été assez clair dans notre description.

Exercez-vous, évertuez-vous à obtenir, à défaut du son, tout au moins la sensation de fraîcheur dans l'arrière-gorge du passage de l'air à l'inspiration de la tiédeur à l'expiration, l'équilibre des forces énergétiques en dépend.

De plus, par la proximité du bulbe rachidien, partie du système nerveux central, cette vibration masse une région extrêmement importante.

Enfin, incidemment, ce bruissement révèlera les saccades et irrégularités à éviter et facilitera le dosage des périodes à observer.

Application

Contrôle de l'énergie par la respiration profonde (Ujjayi pranayama)

Le mot ujjayi ne veut pas dire profond mais, approximativement : épanouissement triomphal ou respiration du succès.

Comme il s'agit d'une respiration ample, nous

l'appellerons ainsi par commodité à chaque fois qu'il en sera question, ou respiration contrôlée.

Manière de procéder   Asseyez-vous confortablement, si possible en posture aisée (page 67), sinon sur un siège quelconque. Par la suite vous adopterez toute autre posture que nous étudierons et qui vous conviendrait.

Gardez le dos droit et rigide. Si vous êtes assis en posture aisée ou similaire, insistez sur la cambrure de la région lombaire. Ayez les épaules souples, les bras allongés, les mains commodément posées sur les genoux, laissez tomber la tête en avant, pour appuyer le menton contre le creux de la gorge (contraction du réseau).

Expirez profondément par les narines, sans affaisser le dos.

1) *Inspirez* amplement par les deux narines et par la gorge. Laissez jouer toute l'ampleur du thorax de côté, en haut, en arrière. Mais, le *ventre* reste *plat*, voire même rentré, légèrement contracté.

   Ecoutez le son produit par le passage de l'air par l'arrière gorge (s s s â â â).

2) ... Pas de rétention pour l'instant.

3) *Expirez* toujours par les deux narines, lentement, profondément, régulièrement, sans à-coups, aussi longtemps que vous avez inspiré, en écoutant le son de l'arrière-gorge (h h h â â â) et en gardant toujours le dos rigide.

4) ... Pas de rétention non plus pour l'instant.

   Recommencez à inspirer et expirer (1 et 3) environ dix fois de suite.

Effets   Cette sorte de pranayama ventile profondément les poumons, donne de l'assurance, calme les nerfs et tonifie l'organisme physiquement et psychiquement.

Utilisation

C'est le seul de tous les pranayama respiratoires qui puisse se pratiquer en tout lieu et en tous temps, mais *surtout* pendant les postures, sauf lorsqu'on se *détend* en quelque attitude que ce soit, car à ce moment la respiration naturelle prime.

Assis ou debout

En raison de son caractère tonifiant cette respiration "profonde" viendra à votre secours dans la journée si vous vous sentez épuisé physiquement ou découragé moralement.

Ayez-y recours pendant quelques minutes, assis à votre bureau ou debout si vous êtes seul. Sinon isolez-vous, l'audition du son particulier, bien que ténu, émis risquerait d'éveiller malencontreusement la curiosité de vos voisins.

En marchant

Rythmant votre respiration sur chaque pas, le décompte des périodes ainsi facilité, usez de cette technique aussi souvent que vous voulez, pendant deux à trois minutes chaque fois. Dans ce cas, la contraction du réseau (menton contre la gorge) sera supprimée.

La rétention du souffle poumons pleins et vides.

Les temps d'arrêt respiratoire fréquemment utilisés par les yogis doivent être, pour nous Occidentaux, abordés avec circonspection, même si vous êtes sportif ou entraîné à la plongée sous-marine. Nous vous les conseillerons en temps utile, car ils vont de pair avec certaines contradictions dont une seule vous a été décrite : la contraction du menton contre la gorge (jalandhara bandha).

Ces rétentions ont pour but d'augmenter les potentiels positifs et négatifs des deux phases respiratoires.

Elles sont de toute manière déconseillées et même interdites aux personnes souffrant de troubles cardiaques ou d'excès de tension artérielle.

En revanche, la respiration profonde pratiquée comme nous l'indiquons est efficace dans ces deux cas, autant que pour les personnes en bonne santé.

D'ailleurs la longueur des deux périodes suffisamment prolongée équivaut à deux rétentions sans en avoir les inconvénients.

Remarque

Le visage, la langue même doivent être détendus sans crispation ainsi que toutes les parties du corps non directement intéressées par le maintien de la rectitude de la colonne vertébrale : bras, mains, jambes.

L'amplitude de la respiration sera raisonnable et en rapport avec votre capacité.

C'est-à-dire que, lorsque vous inspirez, ne vous forcez pas à emplir complètement les poumons, gardez la possibilité d'inspirer encore un peu. Cela vous évitera de crisper les muscles du cou comme certains débutants voulant trop bien faire.

S'étudier préalablement devant une glace aidera à contrôler les tensions inutiles.

Mise au point générale

Avec ce chapitre, nous avons abordé le pranayama par la respiration la plus importante de toutes : celle qu'on aurait pu appeler de "suralimentation".

Que devient la respiration naturelle ? vous demanderez-vous peut-être.

Elle reste ce qu'elle est, c'est-à-dire votre respiration habituelle, que vous devez surveiller de temps en temps et reprendre si vous la perdez. Elle doit être impérativement observée au moins pendant les postures de repos comme celle du repos total (page 65).

Quant aux pranayama, ce sont des exercices spéciaux à n'utiliser comme tels qu'à des moments déterminés *toujours* après une séance de postures, *jamais* avant ou bien alors *à la place*.

"Ujjayi", ce pranayama que nous venons de voir, a plusieurs variantes, celle que vous connaissez fait exception à la règle ci-dessus puisque vous pouvez et devez la pratiquer *pendant* les postures ou avant et après, ou à la place.

Nous étudierons plusieurs pranayama différents, chacun ayant son rôle, ou remplaçant un autre par commodité, ou complétant la formation.

Votre entraînement

Relisez attentivement ce chapitre, relevez les points importants, exercez-vous à maîtriser la respiration par la gorge.

Puis, étendez-vous sur le dos, respirez naturellement quelques instants à votre gré.

Asseyez-vous comme vous pouvez, pratiquez la respiration profonde dix fois de suite et étendez-vous à nouveau en posture de repos.

8

RELAXATION ET YOGA

Détente, décontraction... relaxation

Voilà des mots que nous entendons souvent autour de nous, comme s'ils représentaient un idéal difficile à atteindre.

On nous abreuve de conseils variés pour retrouver un état qui semble nous fuir et dont la privation serait une calamité génératrice de la plupart de nos maux.

Nombreux sont les ouvrages traitant de cette "détente", encore plus nombreux les médicaments prévus pour décontracter nos tensions physiques et psychiques.

On semble oublier ou ignorer que la détente n'est que la conséquence naturelle de l'harmonie du concert organique et psychique.

Cette détente tant recherchée prend une dimension tellement exagérée que le mot lui-même paraît faible, eu égard à l'hypercontraction permanente que nous impose le monde dans lequel nous vivons.

A défaut d'un superlatif satisfaisant, on utilise plus volontiers, à tout bout de champ, le terme "relaxation" qui est un anglicisme entré récemment dans notre langue, et on donne à ce mot un sens qu'il ne possédait pas au départ, celui de : "méthode thérapeutique de détente et de maîtrise des fonctions corporelles par des procédés psychologiques actifs" (Petit Robert).

Acceptons donc "relaxation" et "se relaxer" comme des néologismes de notre époque, mais en revanche refusons énergiquement tous les dérivés utilisés si volontiers et malencontreusement par les publicités. Evitez vous-même de souhaiter à un ami d'être "relaxe", cela vous épargnera un barbarisme inexcusable, à moins que vous n'espériez pour lui un élargissement de peine judiciaire (?). Usez modérément de ce mot, laissez-lui son nouveau caractère thérapeutique.

Aurions-nous perdu un instinct naturel ?

En effet, nous devrions être susceptible de doser judicieusement nos efforts. C'est la meilleure façon, la seule peut-être, d'utiliser à bon escient notre potentiel physique et nerveux, selon un rythme qui fait succéder à l'effort un d'économie de l'énergie.

Malheureusement, les sollicitations désordonnées, excessives de la vie moderne, ses obligations sociales, l'incessant flux d'informations de la presse, la radio, la publicité contribuent à nous maintenir dans un état de tension perpétuel qui étouffe, dérègle et finit par anéantir notre aptitude naturelle à vivre selon notre rythme optimum.

Sans rejeter tout ce que peut avoir d'excellent notre époque, sachons nous isoler, parfois, à bon escient.

Comme pour la respiration, il nous faut réapprendre ce que nous avons toujours su et devrions utiliser sans réfléchir.

Toute activité physique et mentale implique une contraction suivie d'un relâchement lors de la cessation de cette activité.

La tension, comme la détente, sont normalement proportionnées au travail à accomplir, l'un compensant l'autre.

Ainsi, l'énergie dépensée par la contraction musculaire ou la concentration mentale, se récupère par le temps de repos succédant à l'effort.

Si cet effort est disproportionné, ou trop souvent répété, la récupération se fait de moins en moins.

Un état permanent d'hypercontraction s'installe, provoquant par l'accumulation de toxines de fatigue, une usure prématurée de notre vitalité.

Au bout d'un certain temps, selon le degré de résistance dont nous sommes pourvu, le système nerveux épuisé s'effondre et c'est le recours aux drogues excitantes ou calmantes de la chimie moderne. A un stade moindre, qui d'entre nous n'a pas pris de café à plus ou moins haute dose pour se tenir éveillé, suivi d'un ou deux cachets de somnifères pour dormir ?...

Il semble que la civilisation occidentale, malgré des avantages indéniables par ailleurs, entraîne l'homme dans une ronde effrénée, à une cadence dont le rythme accéléré dépasse souvent ses facultés d'adaptation.

Dans tous les pays, on améliore les méthodes de travail, le rendement, la production. En contrepartie étrange, l'homme, libéré de multiples servitudes par la mécanisation, est de moins en moins capable de résistance. Les moins jeunes, avec l'excuse de l'âge, comme les jeunes, sans excuse, manquent de ressort physique et moral.

Bien des hommes mûrs ne pourraient sans s'effondrer travailler autant que faisaient leurs pères.

Le perfectionnement des moyens de travail paraît se développer parallèlement à l'épuisement nerveux, l'anxiété, la fréquence des infarctus...

Nul n'est à l'abri ; l'homme de la ville cependant est plus touché que celui des champs dont le rythme de vie est encore proche de celui de la nature, malgré les engins mécaniques en sa possession. L'intellectuel y est plus sensible, mais ceux dont le travail machinal demande un rythme rapide y succombent aussi.

L'homme se montre inadapté à l'accélération du progrès et l'extension du mot "relaxation" dans le sens qu'on lui donne aujourd'hui souligne un malaise contemporain.

La recherche de la décontraction s'étend chaque jour davantage en devenant même une "relaxite aiguë".

Le mot "relaxation" s'impose comme un argument de vente, de l'eau de toilette au chewing-gum, au fauteuil de repos dit "Relax", béquille moderne pour les invalides des nerfs.

Ces abus de langage risquent de déprécier une faculté naturelle de récupération aussi sûrement qu'un mercantilisme maladroit défigure le charmant Père Noël de notre enfance.

Il ne peut être question de tourner le dos à notre époque, pour devenir des yogis, ou de tenter de nous opposer au progrès, mais il est possible de retrouver un rythme tension-détente individuel en accord avec les exigences collectives et de rétablir ainsi l'équilibre entre le débit et le crédit de notre capital santé.

Comment retrouver cet instinct naturel ?

Ne nous leurrons pas, la détente, conséquence normale de toute activité, doit maintenant se mériter en raison du rythme insensé dont nous pâtissons. Nous ne pouvons, sans ridicule présomption, repenser notre civilisation à l'échelle de l'individu, ni trouver une recette infaillible qui remettrait en marche un moteur fatigué en appuyant sur l'accélérateur, ou permettrait d'user la chandelle par les deux bouts.

Il nous faut, après l'avoir redécouvert, maintenir le jeu d'un instinct dont nous avons perdu la spontanéité.

Trouverons-nous la solution dans les méthodes qui nous viennent de siècles lointains où les problèmes actuels n'existaient pas ?

On a dit du yoga qu'il était le "relaxant n° 1". Cette définition choc est parfaitement inexacte, ce serait réduire ce système à un simple palliatif.

Nos élèves sont toujours très étonnés lorsque nous leur disons : "Si vous cherchez la relaxation dans le yoga, vous vous trompez. Vous y trouverez mieux que cela : l'art de vous passer du mot et de ce qu'il croit représenter."

Le hatha yoga nous invite à respecter l'équilibre de nos facultés et de moyens d'action.

Tout effort désordonné, toute imagination déréglée sont autant de causes amenant des contractures physiques et psychiques bloquant nos réactions.

Nous avons vu, au chapitre précédent, que nous disposons d'une énergie dont nous ressentons l'existence lorsque nous nous sentons plein de dynamisme ou dont nous déplorons l'absence lorsque nous éprouvons une lassitude physique ou morale.

Cette énergie existe partout, autour de nous et en nous, elle est constamment à notre disposition mais... elle ne peut se déployer ni circuler en nous que si rien ne vient entraver sa course.

Une contraction est à la fois la manifestation de cette énergie et son blocage en un point au détriment d'un autre. De plus, cette contraction peut devenir contracture ou crampe par excès, ou spasme par sa répétition anarchique, il s'agit toujours de la même force énergétique ou pranique dont la libre circulation est interrompue.

Notre rôle consiste à rétablir le circuit afin de pouvoir à volonté, quelle que soit notre position dans l'espace ou notre attitude, "laisser couler en nous cette énergie".

Nous soulignons cette expression car elle vous dévoile en partie le secret de la maîtrise du prana.

Les exercices de décontraction

Posture du grand repos

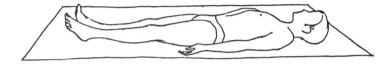

A1

Nous avons déjà vu cette attitude qui vous a permis de prendre conscience de votre respiration, nous allons la compléter quelque peu.

Précisions supplémentaires Sur le dos

Après vous être étendu sur le dos comme indiqué ci-dessus, étirez une jambe comme si vous vouliez l'allonger à partir de la hanche en inspirant, puis lâchez cette extension en expirant.

Recommencez avec l'autre jambe, enfin, étirez les deux à la fois en inspirant et lâchez en expirant.

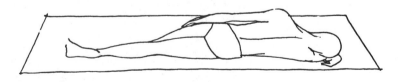

A1a

A1b

Sur les côtés

Après une dizaine de respirations lentes et naturelles, tournez-vous sur le côté droit. Votre bras droit allongé ou fléchi sert d'oreiller ; la jambe gauche légèrement pliée en avant de la droite ; le bras gauche repose mollement sur la hanche.

Maintenez cette position pendant dix respirations, la pensée fixée sur le ventre, le corps le plus détendu possible.

Tournez-vous sur le côté gauche, sans force, et répétez la même position en plaçant la jambe droite légèrement fléchie en avant de la gauche ; le bras droit tombant négligemment sur la hanche.

Maintenez cette position dix respirations et mettez-vous à plat ventre.

A plat ventre

Voici une attitude rarement décrite dans les ouvrages sur le yoga. Pourtant, non seulement elle est parfaitement naturelle, mais elle complète la série de décontraction très heureusement.

Laissez-vous aller sur le ventre de la façon suivante :

Tournez la tête à droite, la joue contre le sol. Placez vos bras en croix et repliez le bras droit le coude restant à la hauteur de l'épaule, de telle sorte que l'avant-bras soit perpendiculaire à la ligne de l'épaule.

La main posée *à plat sur le sol* doigts allongés se trouve ainsi à la hauteur de la tête. La jambe droite fléchie à angle droit repose complètement à terre.

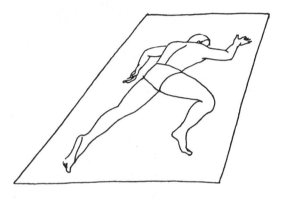

A1c

Le bras gauche, le coude toujours au niveau de l'épaule, est placé de telle sorte que l'avant-bras soit tourné vers l'arrière du corps. La paume *face au ciel* à la hauteur des hanches, la jambe gauche allongée normalement.

Gardez cette attitude quelques respiration et changez de position ; tournez la tête à gauche, fléchissez l'avant-bras gauche vers le haut, paume de la main au sol, pliez votre coude droit vers le bas, la paume face au ciel.

Restez aussi longtemps de ce côté que de l'autre et remettez-vous sur le dos.

Les soubresauts du poisson

Pour parachever l'élimination de toutes tensions, secouez plusieurs fois les bras et les jambes "comme un poisson tiré de son élément gigote sur le sable". Puis repliez légèrement les genoux et étendez-les en les laissant tomber sur une expiration.

Décontraction proprement dite

Là commence la phase effective de la posture.

Interdisez-vous maintenant tout geste, même le plus insignifiant.

Ceux qui savent faire "la planche" ou flotter sur le dos dans l'eau seront favorisés ; il convient, en effet, de retrouver cette sensation de mollesse élastique qu'éprouve le nageur dans cette attitude et se laisser aller au gré du flux et du reflux de la respiration. L'inspiration porte au sommet de la houle, l'expiration au creux de la vague en toute quiétude ; ou alors, flottez comme si vous étiez sur un matelas pneumatique.

Ceux qui n'aimeraient pas l'eau devront s'évertuer à se "répandre" sur le sol comme s'ils étaient épuisés, à se liquéfier et devenir mous et lourds "comme un linge mouillé", disent les yogis.

On peut procéder à une inspection intérieure et pourchasser toutes les tensions subsistantes du visage aux orteils, ou mieux encore, à chaque expiration, phase de détente respiratoire, accompagner mentalement cette détente en l'étendant à tout le corps, fraction par fraction ou d'un seul bloc.

Les tensions récalcitrantes s'atténuent et se fondent au gré du souffle. Rappelez-vous le "ouf !" de soulagement.

Au bout d'un temps plus ou moins long, selon votre degré de maîtrise, votre habitude, vous ne localiserez plus exactement vos membres, qui seront comme fondus dans un ensemble sans consistance ni frontières bien délimitées, et vous risquez de vous endormir.

Certes ce risque est apparemment minime, voire souhaitable si tel est votre but, mais il interrompt l'exercice qui doit vous permettre de bien ressentir l'état de total relâchement et de la goûter.

Si cette petite mésaventure vous arrive ne vous découragez pas, vous recommencerez demain.

Le moment venu d'abandonner la posture, asseyez-vous lentement, relevez d'abord la tête, les épaules, etc, sans brusquerie. Une fois debout, étirez-vous comme suit :

Etirement debout

Les pieds séparés de la largeur des épaules, croisez les doigts, élevez les bras au-dessus de la tête, les paumes tournées vers le plafond. Grandissez-vous, allongez vos vertèbres en tirant sur les bras doucement. Inspirez profondément.

Puis, lâchez les mains, laissez tomber les bras qui pendent naturellement le long du corps. Laissez tomber la tête en avant comme si son poids l'entraînait. Expirez profondément.

Descendez doucement vers le sol en déroulant les vertèbres de la nuque aux reins. Les genoux restant tendus.

Relevez-vous sur une inspiration, en partant des reins.

Redressez le corps, la tête en dernier.

Nota : Lorsque vous êtes penché en avant, n'essayez pas de toucher le sol avec les mains, ce n'est pas un exercice d'assouplissement.

Utilisation

A n'importe quel moment de la journée où il vous serait possible de vous isoler, vous pouvez faire cette série d'exercices dans sa totalité ou en passant directement à la décontraction proprement dite.

Le soir, avant de vous coucher, ce sera une excellente préparation au sommeil. Si bizarre que cela paraisse, le lit ne permet pas cette élongation articulaire que procure un sol dur, un support ferme.

Relâchez vos tensions avant de regagner votre lit.

En outre, après une journée de travail ou d'occupations, si vous avez à poursuivre une activité, récupérez ainsi des forces pendant dix minutes ou plus. Il n'y a pas de limitation à la durée de cette posture qui peut se maintenir de quelques minutes à une demi-heure et plus, selon votre désir ou le temps dont vous disposez.

Le vrai moment de la "posture de repos total" est, bien entendu, au cours d'une séance de postures, entre chacune d'elles, dont elle est énergétiquement complémentaire.

Hors de cette séance, il est utile que vous l'étudiez afin de bien la réaliser et d'apprendre à vous détendre, donc à récupérer très vite.

N'oubliez pas de défaire tout ce qui entrave la circulation du sang, col, cravate, ceinture, soutien-gorge. Si vous êtes en tenue légère et que vous souhaitiez prolonger votre détente, posez sur vous une couverture afin de ne pas vous refroidir.

Les écueils

Outre l'inconvénient de s'assoupir, bénin mais à éviter quand même, quelques difficultés peuvent se présenter.

1) Par la suite de la dureté du sol sur lequel vous reposez, peut-être éprouvez-vous une gêne, des tiraillements dans la nuque, le dos, les jambes et ne vous sentez-vous pas tellement bien. Insistez, résistez à l'envie de vous lever. Cela passera. Ce ne sont que les réactions de groupes musculaires trop contractés qui refusent de se détendre, mais finiront par céder.

Toutefois, la prochaine fois, pour atténuer cette difficulté, mettez une couverture plus épaisse sur le plancher, ou bien encore, si votre colonne vertébrale présente des accentuations de courbures difficiles à corriger, placez sous la nuque, les reins et les genoux des coussins doux, des couvertures roulées ; en bref, un support quelconque diminuant artificiellement l'effort d'élongation des courbures.

2) L'autre écueil à surmonter est celui que rencontrent les grands nerveux ou ceux que leurs soucis ont particulièrement agacés.

Il arrive que la détente normalement amenée par cette attitude soit quasiment impossible à obtenir. On ne peut rester en place, des quantités d'envies de bouger nous empêchent de maintenir l'immobilité exigée.

Que faire ? En l'occurrence, au lieu de vous désoler, de vous impatienter, de vous décourager, recommencez plusieurs fois chaque séquence sur trois respirations seulement.

Placez-vous sur le dos, étirez vos jambes l'une après l'autre, roulez sur un côté, puis à plat ventre, ensuite sur l'autre côté et revenez sur le dos.

Sans vous arrêter à la phase finale de décontraction proprement dite, recommencez votre série deux ou trois fois.

Enfin, revenez sur le dos, *inspirez* amplement et tout en gardant le souffle, poumons pleins, pendant quelques secondes, serrez fortement les poings et les muscles des bras. *Expirez par la bouche* en relâchant ces contractures.

Recommencez à vous tendre ainsi volontairement, une ou deux fois. Terminez par une contraction de tout le corps et *lâchez d'un seul coup*... puis... restez immobile aussi longtemps que vous le pourrez.

Au fil des jours votre organisme s'habituera à répondre à vos ordres, les autres exercices de yoga vous y aideront.

Tout cela est fort bien, direz-vous, mais vous nous avez mis en garde au début de ce chapitre contre une tendance à la "relaxite", et voilà que vous conseillez des exercices qui relèvent des techniques employées par les praticiens de la "relaxation" moderne !

Rassurez-vous, nous ne risquons pas de nous égarer hors de notre propos. Il est utile de bien connaître, et profitable de s'entraîner à ces exercices élémentaires qui font partie, en effet, de la méthode très complexe qu'emploient les médecins spécialistes de la relaxation thérapeutique.

Ils trouveraient place dans un entraînement gymnique quelconque et nous nous en servirons pour commencer notre entraînement au yoga.

Pourquoi ?

Avantage de ces exercices

Les étirements, torsions et soubresauts forment le prélude à la posture du grand repos, coeur de cette série.

Ces préliminaires sont souvent nécessaires à qui s'efforce en vain d'atteindre une détente générale fuyante, parce que des tensions mal localisées subsistent.

Toutefois, lors d'une séance hatha yoga, la posture sur le dos est seule utilisée.

Cette attitude centrale prise isolément a pour rôle essentiel non de reposer mais de recharger l'organisme en répartissant l'énergie fournie par la posture du yoga qu'elle suit.

Autrement dit, la posture du grand repos (shavasana) représente le *facteur négatif* complétant le *facteur positif* représenté par la posture du yoga.

Nous retrouvons ainsi la règle de base du yoga qui nous intéresse.

Règle qu'il convient de respecter consciemment,

d'abord, pour, ensuite, l'appliquer sans y penser au cours de nos attitudes journalières, debout ou assis.

A ce moment, mais à ce moment seulement, nous aurons retrouvé l'instinct naturel qui nous incite à équilibrer une tension par une détente.

Pour cela, il importe que nous ressentions physiquement cet écoulement de force au gré de notre circulation sanguine, de nos pulsations artérielles, des vibrations nerveuses de notre organisme. Ecoulement de force interrompu par les blocages continuels de nos tensions émotionnelles.

Pendant cette posture les tensions s'atténuent, se diluent en même temps que notre activité mentale. C'est ce qui explique que nous puissions être inclinés à nous assoupir pendant cette attitude.

Nous vous conseillons de refaire soigneusement cette série, comme nous vous l'indiquons, en attendant de passer à une séance proprement dite que nous allons aborder au chapitre suivant.

9

VOTRE PREMIÈRE SÉANCE DE POSTURES LES ASANAS

Qu'est-ce qu'un asana ? Ce mot, généralement et commodément traduit par posture ou attitude, veut dire aisé, confortable et sous-entend, pour un yogi, *toute* position du corps réunissant les trois conditions suivantes :

- Stabilité,
- immobilité,
- Absence d'effort.

C'est ce que précise un traité sanscrit de Raja yoga, le *Yoga Darshana* dans lequel on lit : *"Rester immobile, longtemps, sans effort, est un asana"* (trad. Daniélou).

Vous devez bien vous douter qu'à moins de qualités de maîtrise de soi très particulières ou d'un état d'inertie fâcheux, il existe, pour nous Occidentaux, fort peu d'attitudes répondant à cette définition, même sans parler de postures acrobatiques.

Si vous ne le croyez pas, observez-vous quelques instants.

Vous êtes assis sur un siège depuis quelques minutes ; combien de fois avez-vous remué sans nécessité, c'est-à-dire croisé et décroisé les jambes, agité les doigts, tourné la tête, etc. ? Vous voyez bien que ce n'est pas si commode que cela en a l'air !

Mais est-ce donc si important de rester immobile ?

Oui, mille fois oui et pour quantité de raisons. J'en citerai une, qui n'est pas la moindre : en notre siècle d'agitation, il devient de plus en plus indispensable de trouver le moyen de nous ressaisir, tant pour apprendre à nous maîtriser que simplement pour nous sentir vivre.

En temps normal, nous négligeons cette sensation. Nous l'éprouvons intensément après une longue maladie, lors d'une convalescence qui nous fait apprécier la joie de sentir nos forces revenir. Pourquoi ne pas apprécier tout de suite un tel état et faut-il attendre le risque de perdre notre vie pour le priser ?

En outre, rester immobile pendant un temps dans une attitude particulière est la seule façon efficace de masser et triturer des organes, muscles, articulations plus profondément qu'en répétant machinalement des gestes.

Enfin, cette immobilité met en jeu, sans que nous en ayons conscience, des centres nerveux qui doivent se trouver placés d'une certaine façon suivant la posture.

Les yogis vont même jusqu'à dire que le nombril, qui doit se trouver au centre d'une ligne partant du menton jusqu'au pubis, peut se trouver décalé à gauche ou à droite de cette ligne chez quelques individus, ce qui indique un trouble que l'on peut surmonter en replaçant ce point à la bonne place par des torsions appropriées.

Origine des postures

Comme nous l'avons vu dans l'historique, l'origine de la plupart des attitudes utilisées dans le hatha yoga est de source inconnue.

Vous vous en souvenez, la légende dit qu'au commencement du monde le dieu Shiva, troisième personne de la trinité hindoue, créa les espèces vivantes. Le dieu, pour faire acte de créateur, prenait une attitude, une posture représentant la forme de l'être vivant qu'il allait susciter. Les asanas seraient les postures créatrices, aussi nombreuses que le sont les êtres vivants ; la tradition veut qu'il y ait jusqu'à 84 fois 100 000 asanas, et que ces 8 400 000 postures portent, chacune, un nom de plante, d'insecte ou d'animal.

Rassurez-vous, vous ne serez jamais obligé de pratiquer toutes ces postures, ni de vous identifier à un arbre, une sauterelle ou un lion, pour obtenir les qualités de stabilité, de légèreté ou de courage attribuées à ces catégories d'espèces.

La multitude des postures possibles explique les variantes que vous rencontrerez au cours de vos lectures. Ne vous étonnez pas de ces divergences dans les attitudes, elles se justifient par les modifications apportées par chaque instructeur, soit du fait de son initiative particulière, soit de l'adaptation qu'il a dû faire pour répondre à chaque cas rencontré.

Cela ne diminue nullement la valeur de l'enseignement, mais en confirme la richesse.

Selon les traités anciens, le nombre des postures utiles va de quatorze à cinquante, voire se limite à quatre.

Cette différence quantitative s'explique par le fait très simple que le but principal du yoga est de donner à l'élève la seule posture de méditation qui lui convienne, la seule qu'il gardera longtemps sans y penser.

Telle serait la posture du Lotus (padmasana) qui "guérit de toutes les maladies sans distinction et de tous les empoisonnements".

On peut se demander alors pourquoi rechercher d'autres postures si celle-ci renferme tout ce qu'on souhaite, au point de vue santé du moins. Encore faut-il pouvoir la réussir. Ajoutons qu'il ne suffit pas de maintenir cette posture, que seules quelques personnes peuvent obtenir du premier coup, mais encore respirer et se concentrer d'une façon adéquate.

Mis à part les asanas assis, pour méditer, se reposer ou respirer, il en existe une variété importante sinon infinie.

A chacune de ces postures est attribuée une valeur *thérapeutique* qui lui est propre.

Valeur thérapeutique des asanas

En l'occurrence, il est indispensable de bien expliciter la vérité et de préciser ce qu'on entend par "thérapeutique" dans le cas des postures.

Si l'on comprend par là un "ensemble de techniques propre à guérir ou à traiter des maladies", le terme est impropre à notre objet.

Il est exact que les postures contribuent à maintenir une santé florissante, à éviter les écueils de toute sorte que nous rencontrons, mais elles n'ont pas à proprement parler de valeur curative suffisante en elles-mêmes.

Ne vous désolez pas de cette affirmation, cela ne les dévalorise nullement.

Il faut éviter un malentendu très répandu, fondé sur les assertions des Hindous ; ceux-ci transmettent par la tradition des certitudes qui correspondent à des faits d'expérience remontant à des époques très anciennes. Les conditions de notre civilisation sont infiniment différentes.

Pour nous, Occidentaux du XXe siècle, les postures, si bienfaisantes et efficaces soient-elles, ne seront jamais une panacée.

Elles ne remplaceront ni les traitements, ni les médicaments pour guérir de quoi que ce soit, *elles sont mieux que cela* ; un moyen d'éviter d'être malade, une aide pour retrouver la santé.

La meilleure preuve de ce que nous affirmons, ce sont les contre-indications des postures dans tel ou tel cas de troubles organiques, déviations, anomalies diverses et leur interdiction *lorsqu'on est souffrant* ainsi que l'existence en Inde d'une médecine naturelle (ayurvédique) prouvant l'insuffisance des asanas pour guérir.

Grâce à l'équilibre tension-détente, bien supérieur à la "relaxation", les asanas tendent à entretenir et rétablir *l'immunité naturelle* que nous perdons ou avons perdue, et mettent l'organisme en mesure de retrouver son équilibre fonctionnel naturel.

Pour nous, le hatha yoga s'arrêtera là où commencera la médecine ; mais il peut fort bien se trouver que le médecin ayant étudié et admis les effets des attitudes juge souhaitable d'adjoindre celles-ci à son traitement qu'elles complèteront.

L'erreur de l'assimilation du yoga à une cure para-médicale provient de ce qu'à chaque posture est attribué un champ d'action organique particulier. Cette action est indéniable, mais ne vous avisez pas de vous soigner tout seul.

Classification des postures

En plus des postures aux noms de plantes, d'oiseaux, d'animaux, attribués par le dieu Shiva aux asanas qui sont parvenus jusqu'à nous, il en est d'autres portant les noms de sages, de héros légendaires ou de dieux, soit pour honorer ceux-ci, soit parce que les premiers en seraient les inventeurs. D'autres, enfin, rappellent succinctement le geste à accomplir ou l'action qui lui est propre.

Il est évident qu'il y a autant de postures possibles que le corps humain est susceptible d'en prendre, en raison de la mobilité de ses articulations lorsque celles-ci restent *jeunes*.

Dès qu'un individu s'entraîne ou se laisse aller à

toutes les possibilités que lui offre son organisme, il devrait être capable de se projeter de tous les côtés. Toutes ces attitudes possibles ne sont pas autant d'asanas au sens complet de ce terme.

De même, ce n'est pas parce qu'on retrouve des dessins rupestres montrant des similitudes avec telle ou telle posture du yoga qu'on peut en déduire hâtivement que le yoga était connu à des époques préhistoriques.

Le scribe égyptien, bien que dans une attitude assise caractéristique du yoga, était selon toute vraisemblance dans cette position parce que, pour lui, c'était la seule manière commode de s'asseoir.

En conclusion, lorsqu'une attitude gymnique ou acrobatique ressemble à une posture du yoga, ne vous hâtez pas de dire : "tiens, voilà quelqu'un qui fait du yoga".

La pratique des asanas ne saurait se concevoir comme un simple exercice physique, plus ou moins acrobatique et parfois très facile. C'est un exercice complexe, qui se déroule selon un certain rythme et qui met en jeu les différents plans de la personnalité de l'exécutant.

Peu importe la difficulté ou la banalité de l'attitude à prendre, à maintenir, à mener à son terme. Comme dans toute méthode, il existe des postures debout, assises, à genoux, sur le dos, à plat ventre ; des torsions, élongations, contractions les plus diverses. Chacune a son importance particulière, une efficacité propre, une valeur irremplaçable.

Nous avons sélectionné quelques asanas permettant la préparation progressive de votre organisme et répondant aux besoins de récupération, d'entretien et de perfectionnement pour retrouver la souplesse naturelle qui devraient normalement être la nôtre.

Rappelez-vous ce que nous avons dit : toute

contraction passagère ou permanente est un blocage qui empêche le libre passage du courant vital.

Nous vous décrirons plusieurs postures.

Lisez attentivement le texte et même apprenez-le par coeur, exécutez les mouvements, de mémoire d'abord, puis pratiquez-les habituellement.

Considérant que vous connaissez deux postures A1 et A2, nous numéroterons les suivantes A3, A4, etc.

Première série

A3 - Etirement sur le dos

1) Préparation

Etendez-vous sur le dos.

Joignez les mains en croisant les doigts.

Allongez les bras, les paumes des mains tournées vers les pieds.

Serrez les jambes l'une contre l'autre en étirant les pieds.

Expirez.

2) Exécution

Inspirez en levant les bras derrière la tête, les paumes tournées vers l'extérieur.

A3

3) Maintien (posture proprement dite)

Restez dans cette attitude.

A chaque inspiration, tirez sur les bras et allongez les jambes maintenues toujours serrées l'une contre l'autre.

Essayez de diminuer la cambrure des reins en creusant le ventre.

La tranche des mains doit tendre à toucher le sol derrière la tête.

4) Fin

Tout en maintenant l'extension de tout le corps, bras et jambes, et pendant une expiration, ramenez les mains, toujours croisées, à leur point de départ.

Dès que les mains touchent le corps, lâchez les doigts et toute tension comme si on coupait une corde tendue.

Vous êtes ainsi automatiquement dans la posture du grand repos (A1 - shavasana) que vous gardez quelques secondes en respirant *naturellement* avec le ventre.

Respiration pendant la posture

Dès le départ, à la phase préparatoire, vous respirez en respiration "profonde contrôlée" (ujjayi), cette respiration est poursuivie pendant toute la durée de la pose et s'interrompt dès que vous êtes en posture de repos.

Concentration

Dirigez votre attention sur l'extension totale de la colonne vertébrale ; corrigez vos défauts sans saccades ni brutalité, en insistant doucement mais fermement.

Contre-indication

Pratiquement aucune pour toute personne dans un état de santé normal.

Difficultés

Le manque de souplesse des bras et des épaules. La cambrure des reins trop accentuée.

La voussure du dos, empêchant le contact des

mains avec le sol.

Autant d'obstacles à surmonter, mais qui ne dévalorisent pas l'exercice si l'on n'y parvient pas.

Avantages

- Incomparable préparation au travail vertébrale de toutes les postures.

- Elongation des vertèbres.
- Délassement du dos.
- Mise en place des articulations.

Phase intermédiaire

Une séance forme un tout complet allant de la tension à la détente. Après une posture de tension vous vous détendez, mais ne passez pas d'une période de détente complète à celle de tension sans une transition.

Ainsi, après la première posture, vous êtes en attitude de totale décontraction. Dès que vous aurez décidé de poursuivre ou de reprendre votre activité, préparez-vous :

1) Reprenez votre respiration contrôlée, abandonnée pendant la détente.

2) Rassemblez doucement vos forces en une légère tension de tout le corps et passez à la posture suivante.

A4 - Deuxième étirement

1) Préparation

Toujours sur le dos, les bras allongés le long du corps, paumes des mains à plat sur le sol, *respiration contrôlée.*

2) Exécution

a) Après avoir expiré, en inspirant levez les bras tendus parallèles l'un à l'autre, doigts allongés, touchez le sol derrière la tête.

b) En expirant, levez les jambes à la perpendiculaire

du sol.

3) Maintien

Tout en continuant votre respiration contrôlée, le ventre creux, gardez cette attitude en tirant sur les doigts et les orteils.

4) Fin

En inspirant, reposez vos jambes au sol.

En expirant, abaissez les bras, toujours tendus, le long du corps et lâchez toute tension. Prenez la posture A1 de repos total avec la respiration naturelle.

Respiration

Comme pour toutes les postures, sauf avis contraire, respiration contrôlée, régulière et calme.

A4

Concentration

Dirigez votre attention sur le dos et le ventre, corrigez vos défauts.

Contre-indication   Pratiquement aucune.

Précautions   Si vous souffrez de la région lombaire, au lieu de lever directement les jambes tendues, repliez d'abord les genoux contre le ventre dans la phase "b", puis levez les jambes à la verticale. Lorsque vous abandonnez la posture, repliez de même les genoux contre le ventre pour ramener les jambes au sol.

Difficultés   Le manque de souplesse des bras, des épaules et des jambes que vous devez étirer de votre mieux.

Voussure du dos compliquant l'équilibre.

Faiblesse de la sangle abdominale provoquant un tremblement dans tout le corps et surtout les jambes. Ne vous inquiétez pas, gardez la posture moins longtemps que l'autre.

Avantages   ● Les mêmes que pour la posture précédente, en plus dynamique pour la musculature abdominale.

A5 - Posture de la spirale (vakrasana)   Le nom de cette posture indique seulement les gestes à effectuer, c'est la simplification d'une autre que nous verrons plus tard.

1) Préparation   Asseyez-vous, le corps droit, les jambes allongées, pointes de pieds en extension, puis repliez la jambe gauche dont la cuisse et le genou viendront appuyer fortement sur la poitrine et l'abdomen. Soulevez le pied gauche par-dessus la jambe droite et posez-en la plante sur le sol à côté de la cuisse droite, à la hauteur du genou.

2) Exécution   En expirant, effectuez une rotation du tronc vers la gauche en plaçant la main gauche, à plat, sur le sol aussi loin que possible et en arrière du plan des épaules. Le bras droit passe devant la cuisse gauche. Posez la main sur le cou-de-pied gauche.

Dans le même temps, tournez la tête au maximum vers la gauche, le menton devant venir se placer parallèlement à l'épaule gauche, tandis que le bras droit repousse le genou gauche en arrière.

3) Maintien

Restez dans cette posture le temps de deux ou trois respirations contrôlées. revenez lentement à "1" sur une inspiration, les jambes allongées, et recommencez en inversant le mouvement (repliez la jambe droite, tournez-vous à droite, etc).

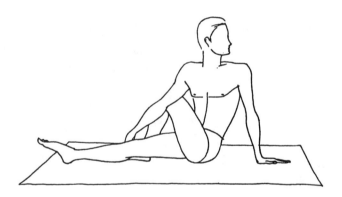

A5

4) Fin

Abandonnez la posture doucement sur une inspiration. Allongez la jambe pliée et étendez-vous sur le dos pour vous décontracter.

Respiration

Observez toujours la respiration contrôlée aussi ample et régulière que le permet l'inconfort de l'attitude. A chaque expiration, augmentez doucement la torsion en vous appuyant sur le verrou que représente la main accrochée au pied, le bras bloqué par le genou.

Concentration

Maintenez votre attention sur la colonne vertébrale.

Contre-indication

Aucune et même, sous réserve d'un avis médical, favorable, lors d'une inflammation vertébrale passagère ou chronique.

Précautions

La lenteur de la prise et de l'abandon de l'attitude permet de l'arrêter à temps si elle réveillait une gêne quelconque.

Difficultés

L'impossibilité de placer la main sur le pied, voire sur le genou, peut être compensée par une torsion moindre en plaçant la main "verrou" sur le genou levé au lieu du genou allongé ou du pied, l'effet sera le même.

Veillez à vous tordre sur une verticale, le dos et la tête sur une même ligne, non inclinés en arrière. Le regard doit rester fixé devant vous sur une ligne horizontale parallèle au sol.

Avantages

- Réduit les déviations de la colonne vertébrale. Exerce un effet bienfaisant sur le système nerveux et sur les organes (foie, reins, intestins).
- Elimine les toxines dues à l'alimentation.
- Action rajeunissante sur l'organisme.
- Développe la confiance en soi, l'esprit de la décision, la persévérance.

A6 - Posture de l'homme couché tenant le gros orteil

(supta : couché, padangusta : gros orteil, asana : posture)

1) Préparation

A plat sur le dos, le corps très droit, les bras allongés sur les côtés, respiration contrôlée.

2) Exécution

Levez la jambe droite tendue en inspirant, saisissez le gros orteil avec l'index droit passé entre les doigts de pied et recourbé en crochet, sans redresser la tête. Laissez l'autre jambe bien tendue.

3) Maintien

Restez dans la position pendant plusieurs respirations en vous étirant de votre mieux.

4) Fin

Lâchez le pied, reposez doucement la jambe au sol en expirant et reprenez la posture avec le pied gauche et la main gauche. Restez aussi longtemps à gauche qu'à droite.

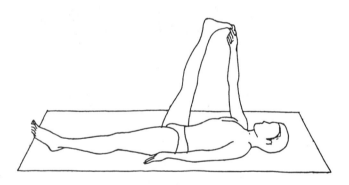

A6

Respiration

Régulière et calme, en respiration contrôlée.

Concentration

Dirigez votre attention sur l'étirement des jambes

et la correction de l'attitude.

Difficultés

Nous reconnaissons qu'elles sont multiples, ne vous en inquiétez pas.

Allongez le genou levé le plus possible en tirant sur la jambe avec la main.
Veillez au contact de l'autre jambe avec le sol.
Essayez de garder les deux épaules au sol.

Avantages

● Souplesse et affinement des muscles des deux jambes. Peut permettre d'éviter les crises de sciatique. Soulage la circulation veineuse.

AIDE-MÉMOIRE PRATIQUE DES ASANAS CITÉS :

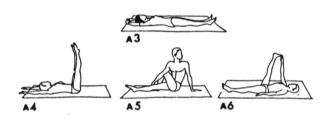

10

SUITE
DE LA PREMIÈRE SÉRIE
D'ASANAS

**A7 - Variante sur le dos
de la posture de
l'étirement postérieur
(paschimottanasana)**

La traduction littérale serait : posture de l'extension (tan) de l'ouest (paschima) parce que pour
les yogis les points cardinaux se localisent ainsi sur le
corps : le nord pour la tête, le sud pour les pieds, l'est
pour la face antérieure du visage aux orteils, l'ouest
pour la face postérieure du crâne aux talons. Cela explique le nom de cette attitude qui étire toute la face
postérieure du corps.

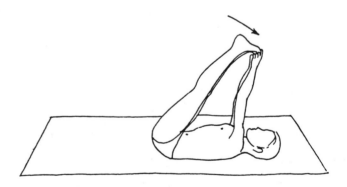

1) Préparation   Allongez-vous sur le dos, étendez les bras en arrière de la tête.

2) Exécution   Sur une expiration, levez les jambes tendues, renversez le corps en arrière, saisissez les gros orteils avec les index en crochet.

3) Maintien   Gardez cette position en essayant d'avoir la plus grande surface du dos possible au sol, malgré l'étirement des pieds vers l'arrière qui lève le bas du dos.

4) Fin   Lâchez les pieds et, sur une inspiration, ramenez les jambes au sol, puis les bras en expirant. Détendez-vous.

Respiration   Aussi régulière et calme que possible en respiration contrôlée.

Concentration   Fixer votre attention sur l'étirement des jambes et du dos.

Difficultés   Au début, l'insuffisance de la sangle abdominale vous incitera à exécuter un élan pour ramener les jambes en arrière dans les mains. De préférence, évitez cet élan et saisissez les orteils que vous tirez en arrière ensuite.

Les genoux peu habitués à ce traitement refusent de s'allonger. Insistez doucement.

L'équilibre est instable, dosez mieux vos efforts.

Avantages
- Favorise l'équilibre. Affine les jambes, Mesdames, tout en tonifiant la musculature, Messieurs.
- Prévient les hernies. Soulage les douleurs du dos, notamment de la région lombaire.

- Tonifie les organes et la sangle abdominale.
- Assouplit la colonne vertébrale.
- Favorise la digestion.
- Augmente la circulation en réglant le fonctionnement des glandes sexuelles et en permettant le contrôle.

A8 - Posture renversée (viparita Karani)

1) Préparation

Etendu sur le dos, les bras allongés le long du corps. Respiration Contrôlée.

2) Exécution

En expirant, repliez les genoux contre le ventre et soulevez le bassin, les mains soutenant les hanches.

En inspirant, allongez et soulevez les jambes qui prennent une position légèrement inclinée vers le visage. Les coudes supportent le poids des hanches. La tête, la nuque, les omoplates et le plus de dos possible reposant sur le sol.

3) Maintien

Gardez cette attitude immobile, sans tourner la tête à droite ou à gauche. Le menton rentré contre la gorge. Les jambes allongées sans raideur.

4) Fin

En expirant, abaissez les jambes vers le visage. Posez vos mains au sol en les appuyant fortement à terre. Sur une inspiration, revenez en position allongée sur le dos.
Relâchez toutes tensions.

Respiration

Régulière et calme en respiration contrôlée.

Concentration

Selon votre habileté et l'agrément ou la difficulté pour vous de cette posture, fixez votre attention sur la décontraction de tous les muscles inutiles au maintien de la posture, ou sur la respiration dont vous suivez le rythme et la sonorité.

Difficultés

Soit par le manque de souplesse, soit par excès de poids ou, plus exactement, déséquilibre entre la puissance musculaire et le poids à soulever, beaucoup d'entre vous ne pourront exécuter cette posture sans élan. A la condition que cet élan ne soit pas trop violent, afin de pouvoir décoller le bassin du sol, il est autorisé au début.

A8

Un autre procédé, moins vif, est de vous installer face à un mur ou à un meuble lourd : table ou fauteuil, de façon à appuyer les pieds, jambes levées, pour soulever plus aisément le bassin et vous permettre de mettre les mains aux hanches.

Ne vous découragez pas, nous n'avons encore jamais rencontré de personnes, si maladroites soient-elles, au départ, qui, au bout de quelques semaines d'entraînement, ne soient pas parvenues à prendre cette posture.

Avantages

● Quoi qu'on pense, c'est le meilleur fauteuil "relaxe" que la nature nous donne pour supprimer les lourdeurs des jambes, voire atténuer les varices. Cette posture permet de lutter contre l'hyperthyroïdie, de prévenir les rhumes de cerveau et les amygdalites naissantes. L'afflux sanguin, amené au visage et au cerveau par ce renversement du corps, complète tous massages faciaux destinés à rajeunir le visage et à en effacer les rides, de même qu'il permet une régénération des facultés intellectuelles, notamment la mémoire, pour les mêmes raisons.

Contre-indications

Si vous souffrez d'hypertension, de sinusite chronique, de troubles oculaires infectieux ou auriculaires (otite, par exemple), cette posture est évidemment déconseillée, tant que le trouble en question n'est pas surmonté autrement.

Après avoir exécuté cette dernière posture et vous être bien détendu sur le dos quelques instants, mettez-vous à plat ventre, les bras allongés le long du corps, la tête tournée vers la droite, la joue reposant sur le sol, puis après trois respirations, tournez la tête à gauche, restez trois respirations en abandonnant toutes vos tensions et passez à la posture suivante.

A9 - Posture du cobra (bhujang asana)

Voilà le premier animal que nous rencontrons et ce n'est pas le plus aimable, mais il se révèlera bienfaisant pour lutter contre nos douleurs dorsales.

1) Préparation

A plat ventre, le front posé sur le sol, les mains

placées de chaque côté de la poitrine, les doigts à la hauteur des aisselles, de façon à ce que les coudes fléchis soient relevés tout en restant près du torse. Les jambes allongées, serrées l'une contre l'autre, les doigts de pied étendus. Expirez.

2) Exécution

En inspirant, renversez lentement le haut du corps en arrière, le regard dirigé vers le haut, sans plisser le front. Contractez les muscles du dos en rapprochant les omoplates l'une de l'autre. Dégagez bien le cou, abaissez les épaules. Bombez le torse le plus possible, le nombril restant au sol, *n'allongez pas les coudes*.

3) Maintien

Gardez cette attitude plusieurs respirations contrôlées dans la mesure où elle est supportable. A chaque inspiration, essayez d'incurver le dos en renversant la tête le plus possible.

4) Fin

En expirant, sans aucunement bouger les mains qui restent bien en place, comme collées au sol, étirez les hanches en arrière vers les talons, sans soulever les genoux, en allongeant les bras. Le mouvement s'exécute le nez au ras du sol. Lorsque les bras sont allongés, essayez de toucher le sol avec le menton.

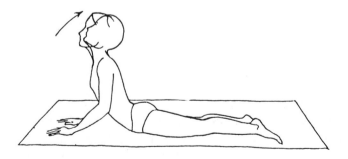

A9 (bis)

Gardez cet étirement en respirant plusieurs fois.

Enfin, relevez-vous assis sur les talons, détendez-vous en restant ainsi à genoux, les mains posées sur les cuisses.

Concentration

Pendant le maintien, comme dans la phase finale, fixez votre pensée sur le dos et toute la colonne vertébrale.

Difficultés

Certaines personnes, ayant tout particulièrement le dos rond (cyphose), auront du mal à prendre cette posture et auront tendance à appuyer beaucoup trop sur les mains et à déplier les coudes. Cela est à éviter, en raison de la trop grande flexion de la partie lombaire que provoque cette extension des bras.

Avantages

● Cette posture active le système nerveux, .stimule la thyroïde, combat la constipation, nettoie les reins, atténue les troubles utéro-ovariens, tonifie la colonne vertébrale.

Contre-indications éventuelles

Ceux qui souffrent d'un excès de fonctionnement de la thyroïde se contenteront de soulever la poitrine, sans renverser la tête en arrière et même, au besoin, en appuyant le menton contre la poitrine, dans la phase 2.

Nota spécial : Au début, la phase de "maintien"

A10

A10 (bis)

A10 (ter)

peut être remplacée par un retour à la phase de "préparation" en expirant et en reprenant la pose trois fois de suite pour l'abandonner finalement comme indiqué à la phase finale.

A10 - Posture de la foudre (vajrasana)

Ici, nous nous trouvons devant une petite difficulté de langage. En intermède, attardons-nous sur cette perplexité.

La description de la posture en question, pas plus que ses effets, n'offrent de soucis, seul son nom nous laisse songeur.

Suivant les auteurs indiens ou occidentaux consultés et, sans doute selon que certains ont été formés au Sud ou au Nord de l'Inde, ou pour toute autre raison, "vajrasana" se traduit soit par le mot prestigieux de "posture du diamant", soit par "posture de la foudre", ce qui est plus voisin du mot sanscrit "vajra" signifiant la foudre.

Cette bruyante sonorité compte au nombre des attributs d'Indra, chef des dieux du panthéon hindou, maître de la foudre, du tonnerre et de la pluie, comme Jupiter.

Le choix est rendu difficile par le fait qu'un autre yogi donne à cette posture le nom différent de virasana ou "posture du héros", qui correspond, pour d'autres encore, à une attitude différente !

Cette parenthèse ouverte, fermons-la sur ce problème non résolu, problème d'un intérêt simplement anecdotique, et reprenons l'attitude qui nous intéresse.

1) Préparation

Asseyez-vous sur les talons, genoux serrés, les pieds allongés, les plantes tournées vers le haut. Le dos droit sans effort ni cambrure de la région lombaire. Les mains posées à plat sur les cuisses, les épaules décontractées, la tête droite.

2) Exécution

Dans cette attitude, croisez les doigts, tirez les bras en avant sans pencher le torse et levez-les au-dessus de la tête, en inspirant.

3) Maintien

a) Restez ainsi bras levés en allongeant la colonne vertébrale, le menton légèrement serré contre la gorge en respirant ;

b) Abaissez les bras, les mains reposant à plat sur les genoux, le dos souple, mais droit, revenez ainsi à la phase "préparatoire" qui devient "maintien". Croisez les orteils les uns sur les autres, talons écartés formant cuvette. Gardez cette attitude tout le temps que vous voulez pour vos exercices respiratoires ou vous détendre. En terminant, étirez à nouveau les bras vers le haut, phase 2, après avoir réuni les talons.

4) Fin

En expirant, abaissez les mains que vous décroisez et que vous placez sur les plantes de pied, doigts vers les orteils. Inclinez-vous en reposant le menton sur les genoux.

Relevez-vous au bout de quelques instants en inspirant. Allongez les jambes et reposez-vous sur le dos.

Respiration

Pendant les temps d'exécution et de maintien, respectez la respiration contrôlée habituelle.

Si vous utilisez la phase de maintien (b) pour vous détendre, respirez naturellement.

Concentration

Fixez votre attention sur la rectitude du dos ou la respiration, ou la détente.

Difficultés

Cette posture, en général facile pour vous, Mesdames, l'est un peu moins pour vous, Messieurs. La raideur des cous-de-pied empêche d'allonger suffisamment ces derniers ; de ce fait, le poids du corps repose douloureusement sur les orteils.

En attendant d'obtenir l'assouplissement des articulations, retournez les orteils *talons levés* sur lesquels vous reposez. Ce sera un moyen intermédiaire pour les phases de maintien (a) et (b).

Avantages

- Cette posture possède de multiples usages et répercussions. Elle vous offre, d'abord, une position, disons acceptable, pour la plupart d'entre vous lors des exercices respiratoires ou de repos, en lieu et place de postures jambes croisées encore inaccessibles.

- Elle est recommandée après les repas pour remédier aux lourdeurs d'estomac et faciliter la digestion. Evidemment, pour nous Occidentaux, à moins d'être chez soi, et encore ! elle présente l'inconvénient d'être délicate à utiliser discrètement en cette occasion. De plus, un yogi, même apprenti, ne devrait pas avoir de digestion difficile !

- Elle a aussi la réputation d'améliorer les troubles rhumatismaux des genoux et de réduire les pieds plats. Ce dernier avantage ne s'obtiendra pas en quelques jours, bien sûr, mais en s'exerçant plusieurs minutes par jour.

Modification supplémentaire

Suivant la souplesse des articulations, vous pouvez augmenter les effets de cette posture en écartant les pieds de chaque côté dès la phase de préparation. De sorte que les fesses reposent directement par terre entre les deux talons et non plus sur ceux-ci.

Ce stade est d'ailleurs à travailler au fur et à mesure de votre progression.

Cela termine votre première séance complète.

Nous vous avons conduit de l'étirement sur le dos

à la position à genoux en un déroulement successif de tout le corps. Vous n'avez rien à changer.

Etudiez cette série soigneusement, exécutez-la en pensée d'abord avant de la mettre en pratique. Puis, exercez-vous par fractions à chaque attitude. Ne vous désolez pas de vos premières difficultés. N'attendez pas non plus un mieux spectaculaire de vos premiers balbutiements.

Ne vous réjouissez pas non plus trop vite de vos possibilités personnelles. Le chapitre suivant vous donne maintenant le "mode d'emploi" de cette série valable aussi pour toutes celles qui suivent.

AIDE-MÉMOIRE DES ASANAS CITÉS :

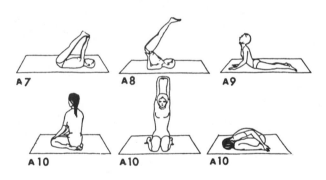

A 7   A 8   A 9

A 10   A 10   A 10

11

SOYONS A L'ÉCOUTE DE NOUS-MÊME

Vous venez de lire, dans le chapitre précédent, que les postures n'étaient efficaces qu'en fonction de la respiration et de la fixation de la pensée. Autrement dit, les *asanas*, (postures), troisième degré du yoga, le *pranayama* (respiration), quatrième degré, et *dharana* (concentration), sixième degré, pour employer les termes propres, sont indissociables.

Nous vous avons dit aussi et nous espérons que l'expression ne vous a pas échappé : *vivez votre posture*, c'est-à-dire soyez concerné, participez pleinement à tous vos actes. Une autre discipline extrême-orientale nous dit :

Quand je mange, je mange

Quand je bois, je bois

Quand je dors, je dors...

Malgré la puérilité apparente de ces constatations, elles se passent de commentaire et veulent bien dire ce qu'elles expriment.

Habituez-vous dès maintenant de temps en temps à suivre ce conseil, ne serait-ce que quelques secondes si vous ne pouvez pas plus longtemps.

> "Soyez à ce que vous faites
> et rien qu'à ce que vous faites."

Souvenez-vous de ce proverbe désuet parce que trop usé : "Il ne faut pas courir deux lièvres à la fois..." En bon français, ne voila-t-il pas l'écho de toutes les sagesses ?

Contrôle mental et attitudes corporelles

Nombre de nos contemporains se plaignent de leur manque de concentration. Ils devraient, plus justement, incriminer, en premier lieu, l'insuffisance de leur attention. Cette faculté, pourtant toute prête à se manifester, intervient en effet dans tous les actes conscients de la vie. Elle différencie l'homme réfléchi de l'homme instinctif. Seulement, la plupart du temps, elle évolue au gré de notre fantaisie, de notre intérêt plus ou moins vif ou de nos soucis.

Le plus inattentif d'entre nous ne fait, en réalité, que se "concentrer à tort" sur des images qu'il lui faudrait rejeter au profit d'un sujet unique, volontairement choisi.

A bien examiner cette question, il s'agit moins de fixer sa pensée sur une idée ou un objet que d'éliminer toute idée parasite, toute distraction.

Maintenir notre esprit "présent" sur n'importe quel sujet plaisant ou déplaisant, dépend aussi bien d'une faculté personnelle innée que d'un certain entraînement.

Il existe quantité d'exercices, plus ou moins fastidieux, pour éveiller nos possibilités latentes. Seuls ont des chances d'être efficaces ceux qui tiennent compte de la liaison entre le corps et l'esprit.

Le yoga nous montre le meilleur moyen de nous reprendre en main nous-même. Partant du principe de l'interdépendance de nos réactions émotionnelles et de nos attitudes physiques, le yogi estime qu'en modifiant les unes on agit sur les autres.

Sa méthode d'entraînement s'appuie essentiellement sur ce qui nous est immédiatement accessible :

les organes de contact qui nous relient, tant au monde extérieur qu'à notre monde intérieur, c'est-à-dire nos sens. Toute éducation physique ou mentale devrait commencer par une révision de nos possibilités sensorielles, sorte de prise de conscience de nous-même ou de concentration de soi.

Précisons, avant tout, que se concentrer ne doit impliquer aucune crispation. En effet, dès qu'on parle de concentration, on voit se froncer, autour de nous, fronts et sourcils. Il faut, au contraire, s'évertuer à garder un visage détendu.

Se concentrer ou, mieux, être attentif, c'est être réceptif, calmement, passivement, afin d'enregistrer sans erreur les données transmises par nos yeux ou nos oreilles.

De la qualité de notre attention réceptive dépend tout notre comportement dans la mesure où nous interprétons les images que nous percevons.

Ainsi, nous réagirons différemment à la vue d'un rouleau de corde posé à quelques mètres de nous, suivant que nous le reconnaîtrons pour ce qu'il est ou que, par manque d'attention, nous le prendrons pour un terrifiant serpent, lové.

Devenir réceptif à volonté, c'est, par la même occasion, contrôler nos pensées. Bien que la rapidité de ces deux opérations nous fasse croire le contraire, on ne peut simultanément sentir pleinement et penser clairement. Nos sensations et notre pensée poursuivent un dialogue. Centrer notre attention sur la sensation, revient à suspendre, pour un instant, l'activité de la pensée.

Cet excellent moyen de détente mentale nous apprend de plus à nous servir de nos cinq sens ; grâce aux renseignements qu'ils nous transmettent, nous modifierons notre attitude physique et, de ce fait, notre conduite.

Comment procéder ?

Afin de nous préparer plus rapidement à la pratique des postures hindoues, nous n'examinerons qu'une sorte de sensations, celles émanant de notre propre corps. Il s'agit, pendant quelques instants seulement, de sentir nos mouvements, puis nos attitudes, en d'autres termes de nous *écouter vivre*.

En général, la douleur physique, la courbature, la fatigue, sont les seules manifestations de la présence sensible de notre corps.

Les tics, les grimaces, les manies involontaires, sont l'expression du manque de liaison, de l'absence de coordination entre la vie organique et la vie psychique.

Dans la plupart des cas, sentir un mouvement permet de le contrôler, donc, au besoin, de l'arrêter. Comme il est plus facile de se rendre compte de ce qui remue, nous commencerons par ressentir nos mouvements naturels ; ensuite, nous irons à la découverte des attitudes immobiles.

Sensations liées aux mouvements

Il ne s'agit pas de rectifier ni de corriger quelque chose, c'est-à-dire de juger si tel geste est bien ou mal exécuté, mais simplement de nous observer, pendant quelques secondes d'abord, puis quelques minutes, dans nos actes habituels principaux.

La marche consciente

Tout en marchant à notre allure ordinaire, sans précipitation ni lenteur, sentons remuer nos jambes, sentons le contact du pied avec le sol, la flexion du genou, les mouvements de la cuisse et des hanches.

Au début, nous ne pourrons saisir que le mouvement de l'une ou l'autre de ces parties du corps, séparément ; par la suite, nous recueillerons l'ensemble des impressions données par les flexions et articulations diverses, y compris le balancement des bras, des épaules.

Un de mes élèves m'écrivit un jour, très inquiet de

constater que sa colonne vertébrale, à la hauteur des reins, remuait au gré de son allure. Il lui avait fallu ce simple exercice pour s'apercevoir que tout geste mobilise normalement toute une série d'articulations, étroitement liées.

Pratiquez cette marche consciente, chaque fois que vous le pouvez, dans la journée, en vous rendant à votre travail, ou au retour, ou à tout autre moment.

Cette façon de prendre conscience du corps nous fait goûter à la joie du contrôle de nous-même et comprendre la perfection de nos liaisons psychomotrices. Non seulement vous arriverez chez vous ou sur le lieu de votre travail, plus reposé et détendu, mais vous trouverez un plaisir nouveau à la marche à pied.

La respiration consciente Le moment n'est pas venu de faire un exercice respiratoire avec modification du rythme, comme nous l'avons décrit précédemment ; prenez simplement conscience des mouvements de la cage thoracique, de l'abdomen, de la sensation de l'air pénétrant par les narines ou en sortant (respiration naturelle).

Comme pour la marche, réveillez les sensations ressenties à l'expiration et à l'inspiration ; en quelque sorte, "laissez-vous respirer", sans penser à autre chose qu'au va-et-vient respiratoire, sans rien forcer. Chaque fois que votre pensée s'égare, ramenez-la, sans vous décourager et sans impatience, à son point de départ.

Autres prises de conscience intimes On peut trouver une quantité de sensations, émanant des gestes plus ou moins automatiques de la vie courante, qu'on aurait intérêt, de temps en temps, à enregistrer consciemment.

Il est banal, par exemple, pour certaines personnes émotives, de ne jamais se souvenir si elles ont ou non fermé le gaz, ou l'électricité, ou la porte, en quittant leur domicile. Même si vous n'êtes pas de ce nombre, surveillez vos gestes machinaux, rendez-les conscients, en enregistrant la ou les sensations correspondantes : celle de la clef ou du bouton que vous tournez. Prenez conscience de votre pied balancé lorsque vous avez les jambes croisées, du tapotement des doigts sur un meuble, de la crispation de telle ou telle partie du corps. Lorsque vous vous habillez ou vous déshabillez, surveillez vos gestes, comme si le plus anodin prenait une importance capitale.

Bien entendu, il s'agit d'exercices momentanés et non d'une règle à observer à longueur de journée. Quelques secondes de "prise de conscience" répétées sont efficaces ; trop souvent utilisées, elles seraient fastidieuses et vaines.

Sensations liées aux attitudes statiques

L'impression que nous donnons à notre entourage est fonction de notre attitude, de notre aspect extérieur.

Une allure veule trahit et engendre le doute, la peur, la lassitude physique et morale.

La confiance en soi, l'énergie s'expriment, et se communiquent à autrui, par la fermeté de notre maintien.

Le système nerveux est constamment mis à l'épreuve par une perpétuelle recherche de l'équilibre car, sauf en position couchée, le corps humain se trouve, de façon permanente, en équilibre instable. Que ce soit en station debout ou assise, il faut toujours qu'un groupe de muscles se contracte pour rétablir la position et maintenir la stabilité.

Essayez l'expérience suivante : levez-vous, talons joints, et fermez les yeux : vous sentirez les oscillations naturelles de cette lutte contre la chute.

Cette continuelle variation du centre de gravité est

une cause de déperdition d'énergie, de même qu'une source permanente de tension nerveuse. La dépense d'énergie, parfaitement normale, d'ailleurs, peut avantageusement se limiter au minimum : d'où l'importance d'une bonne statique vertébrale d'une part et, encore une fois, de l'habitude de "prendre conscience" de notre attitude.

Il ne suffit pas de se répéter : "Je dois me tenir droit", si la sensibilité du corps reste faussée par la position défectueuse à laquelle nous sommes habitués. Notre corps doit réapprendre l'attitude correcte. Il est encourageant de constater la rapidité avec laquelle notre organisme d'adapte à toute amélioration offerte.

La meilleure position

Debout ou assis, nous veillerons, aussi souvent que possible, non pas à "nous tenir droit" mais tout sim-plement "à nous étirer vers le haut", comme si nous voulions toucher le plafond avec le sommet du crâne. Ce simple geste interne nous donne instantanément l'attitude correcte.

Précisons quelques points importants. Aucune raideur n'est nécessaire ; grandissez-vous en tirant sur vos articulations internes, sans vous soulever sur la pointe des pieds, si vous êtes debout, ni surélever les épaules. La tête est droite, le menton légèrement rentré, de façon à étirer les vertèbres cervicales. Les épaules tombent naturellement, s'effacent par un mouvement d'extension de la partie supérieure de la poitrine vers le haut et non par une traction des omoplates vers l'arrière. Le ventre se rentre tout naturellement, lors de cette traction du thorax.

Rappelez-vous bien cette description, elle vous servira, dans la journée, pendant votre travail comme chez vous, en marchant comme en étant assis. Chaque fois que vous y pensez, songez à vous grandir ainsi.

Cette habitude vous deviendra vite naturelle et indispensable, surtout en pratiquant journellement les exercices d'étirement A3 et A4.

Les conseils précédents d'auto-contrôle interne vous aideront notablement à comprendre ces étirements qui vous apporteront un soulagement instantané en cas de fatigue ou de tension nerveuse.

Concentration ou attention ?

Peut-être, au cours de ce chapitre, vous êtes-vous découvert une tendance à préférer l'attention à la concentration.

Nous vous avons déjà proposé un choix entre relaxation et détente, et, sans doute, avez-vous pensé à une nouvelle option possible entre deux notions voisines mais différentes.

Il y a du vrai dans cette supposition, cependant, cette fois, ne nous contentons pas de reléguer l'une au profit de l'autre : nous nous appuierons sur l'une pour affirmer l'autre.

L'attention correspond mieux à nos besoins immédiats d'adaptation que la concentration, mais on ne saurait obtenir de concentration sans avoir recours à l'attention.

Etre attentif ou tendu vers... évoque une idée plus vivante et souple que le terme de concentration, légèrement contraint, voire rigide.

Aussi est-il préférable de nous exercer à "être là ou l'on doit être", à chaque instant, avant d'aborder la vraie concentration qui risque de nous rebuter par son inaccessibilité.

Habituez-vous à ne pas vous éparpiller continuellement, sans jamais vous crisper sur une préoccupation, mais à vous regarder vivre.

Vous portez en vous votre propre champs d'expérience, vous pouvez progresser continuellement dans la maîtrise de votre vie, ne perdez pas un instant.

Les séances d'exercices, moments d'entraînement intense, verront leur action bienfaisante se poursuivre, ainsi, sans interruption. Dans le cas où vos occupations, ou bien votre santé, ne vous permettraient pas de vous adonner à la pratique des postures, relisez ce chapitre et mettez en pratique ce qui vous y est conseillé.

"Je veux bien vous croire, direz-vous, mais je ne sais pas me concentrer, pardon ! être attentif !"

Allons donc ! Voilà une idée aussi fausse que celle de croire que vous ne savez pas respirer.

On peut très bien être attentif, voire concentré, lorsqu'une tâche nous plaît, un livre nous passionne, un souci nous obsède ; on ne peut s'en détacher.

Même la distraction passagère ou chronique de certains n'est autre qu'une *attention* qui ne sait se détacher à bon escient d'une réalité périmée et se couper d'une réalité immédiate.

La difficulté réside plutôt dans l'attrait ou la répulsion qu'on éprouve à l'égard d'un sujet que dans la faculté même. Or, nous vous avons dit, et cela s'étend à tous les exercices corporels ou mentaux, vous ne devez pas vous juger ni les juger... mais les faire.

Ne vous laissez pas arrêter par les premières difficultés : nous sommes tous encombrés par nos préjugés, nos idées toutes faites, qui nous cachent des possibilités naturelles insoupçonnées à découvrir.

Mettez-vous à l'ouvrage sans plus chercher d'excuses ; il ne s'agit pas de créer de toutes pièces des facultés inexistantes, mais bien de révéler à votre conscience et de développer vos possibilités personnelles réelles.

Cependant, il est possible que vos difficultés

d'attention proviennent de défaillances organiques. La biologie nous apprend que l'attention, comme toute faculté psychique, repose sur des bases organiques dont dépendent certains mécanismes musculaires, circulatoires, respiratoires, chimiques et nerveux.

Dans ce cas, la pratique des "asanas" contribuera à rétablir la libre communication des circuits complexes de votre système organique.

12

PRATIQUE
DE L'ATTENTION
CONSCIENTE

Nos pensées vagabondent sans cesse, dans une sorte de gaspillage de l'énergie mentale.

Nous connaissons bien la force de notre pensée, mais très rares sont ceux, parmi nous, qui savent l'utiliser.

Il nous arrive quotidiennement de parvenir à peu près, par un effort que l'habitude rend plus aisé, à fixer notre attention sur un travail, une conversation. Un arrière-fond de rêverie subsiste toujours. Sans que nous y prenions garde les distractions nous assaillent, amoindrissent notre consciente claire, nous coupant, pour plusieurs secondes parfois, de l'objet de notre attention.

En revanche, nous connaissons des moments où notre pensée est totalement mobilisée, où toutes nos idées convergent en un seul point : qu'une musique nous charme, qu'un spectacle nous fascine, qu'une lecture nous captive, qu'un danger nous menace et notre énergie mentale se rassemble. Nous éprouvons, alors, matériellement, la force de notre pensée attentive.

Le yoga met à notre disposition un entraînement très simple, en deux exercices d'attention consciente, volontaire, dirigée sur les mouvements de notre corps.

Le bénéfice de ces exercices est considérable.

D'une part, notre pouvoir de fixer volontairement

notre attention se développe. Nous fortifions notre pensée comme un sportif à l'entraînement muscle son corps.

D'autre part, quand nous disposerons de ce pouvoir d'attention accru, nous atteindrons à une possibilité nouvelle du repos de la pensée et de la paix de l'âme.

En effet, l'entraînement de l'attention nous amène, chemin faisant, à prendre conscience de ce fourmillement d'idées secondaires qui errent en nous et se disputent notre conscience.

Nous sommes plus ou moins le jouet de ces zones profondes de nous-même. Il est utile d'apprendre à les connaître et de parvenir à contrôler cette dérive désordonnée. Il est utile d'apprendre à discipliner patiemment notre pensée volontaire en apaisant les zones de turbulence intérieure que nous recélons.

Nous n'avons pas à craindre de cliver notre personnalité en une sorte de dualité qui nous rendrait fragile.

Précisons bien qu'il ne saurait être question de *créer* un antagonisme. Bien au contraire, aller à la découverte de soi-même, c'est vivre l'aventure unique de la réconciliation avec soi-même. Les différents plans de notre être intime arriveront à se situer les uns par rapport aux autres dans une coexistence harmonieuse, infiniment plus riche que l'épuisante controverse entre opposants.

Le moyen que le yoga met à notre disposition pour atteindre, par un entraînement méthodique et simple, à ce plein exercice de toutes nos facultés, si différentes fussent-elles les unes des autres, c'est *l'attention*.

Etre présent là où on est et à ce qu'on fait, d'une manière systématique, volontaire, pleinement consciente, représente un effort particulier, remarquable entraînement de la pensée et de l'affectivité.

Il s'agit de contrôler notre activité psychique en la localisant sur une occupation précise, limitée, suivie. Cette sorte de contemplation dont l'objet est *l'action que nous sommes en train d'accomplir* se fait sans qu'intervienne la notion de "je", de "moi".

On s'observe soi-même dans l'action de voir, d'entendre, de sentir. Le monologue intérieur se poursuit, réduit à la simple expression d'une description de l'acte. Notre pensée répète : marcher, marcher, marcher... au rythme des pas, de notre allure ; nous ne pensons pas : "je marche".

Dans cet exercice mental, la pensée et l'action, ou la sensation, sont libérées pendant un temps des associations subjectives qui les parasitent continuellement.

Mais, plutôt que de discourir, hâtons-nous de vous convier à l'expérience qui vous convaincra mieux qu'un raisonnement.

L'attention dynamique

Nous commencerons par deux exercices qui vous paraîtront, au premier abord, d'une banalité déconcertante. Il y a gros à parier que vous vous étonnerez davantage de votre incapacité à les réussir immédiatement !

Le *premier exercice de base* consiste à *marcher* lentement sur cinquante pas, pendant trente minutes, en ayant conscience de la marche.

Le *deuxième exercice de base*, qui suivra le premier, consiste à *se laisser respirer*, en position assise, en portant l'attention consciente sur le mouvement de l'abdomen.

Après trente minutes, on reprend le premier exercice pour une nouvelle période du même temps.

Les deux exercices peuvent se succéder, ainsi, l'un

suivant l'autre, selon le temps que vous avez décidé de consacrer à cet entraînement.

N'allez pas croire à quelque ridicule plaisanterie et ne craignez aucunement de perdre votre temps. L'intérêt est la difficulté de ces exercices vous apparaîtront très vite.

Pour les débuts, afin de limiter votre effort en vous mettant dans les conditions les plus favorables, choisissez pour vous exercer une période de vacances, une fin de semaine, et de préférence, une heure très matinale où vous ne risquerez d'être dérangé par personne.

Nota : On peut indifféremment commencer la séance d'entraînement de l'attention par l'exercice de marche ou celui de la respiration.

La marche

Vous allez simplement aller et venir, sur une distance d'une cinquantaine de pas et, pendant cette marche, vous porterez votre attention exclusivement sur les mouvements de chaque pied.

Si votre allure est lente, vous penserez : "Lever, lancer en avant, poser."

Si l'allure est plus rapide, vous répèterez mentalement : "Pied gauche, pied droit."

Chacun de vos gestes est donc simultanément ressenti au niveau de la sensation musculaire et décrit mentalement, nommé par la pensée, ressenti consciemment.

A aucun moment, l'attention ne se détache de ce que fait le pied.

En fin de parcours vous faites demi-tour et votre pensée suit, en les nommant, en formulant le verbe correspondant à l'action, les différents actes qui ont lieu : s'arrêter, virer, lancer le pied, poser.

Nos actions conscientes dépendent toutes d'un processus dont le schéma se décompose ainsi :

- l'intention de faire quelque chose,
- l'ordre d'exécution,
- l'exécution.

Nous pouvons discerner en nous ces trois moments successifs d'une action si nous prêtons attention à notre acte. Habituellement, la conscience est diffuse et les trois moments semblent presque confondus tant ils se suivent rapidement.

L'exercice que nous vous proposons permet - le geste étant ralenti et rendu conscient par l'attention exclusive que nous attachons à son déroulement -, de *ressentir* très vivement et de *distinguer* ces stades successifs.

Il s'en suit que la pensée est entraînée à une discontinuité, par l'attention portée sur des changements successifs.

De ce fait, nous échappons à cette sorte de dérivation continue d'une idée suivant l'autre, à cette rêverie ininterrompue qui occupe habituellement presque toute notre activité mentale.

Afin de ne pas trop compliquer l'exercice, on peut adopter un parcours circulaire, ce qui permet d'éviter les demi-tours. Vous tournerez en rond, mais selon une circonférence suffisamment grande pour éviter une impression de vertige.

En route !

Vous pensez : intention de marcher ; puis : lever, lancer, poser, et ainsi de suite.

Au début, tout semble n'aller pas trop mal.

Bientôt, la pensée s'embarrasse d'hésitations et l'allure s'en ressent. Vous vous demandez si vos pas sont trop courts ou trop longs, si le pied gauche doit amorcer son mouvement dès avant que le pied droit ne se pose...

Cette intrusion de l'attention dans une suite de

mouvements presque réflexes tant ils sont habituels, a un effet perturbateur.

Dans ce cas, adoptez la solution la plus simple : pensez : pied droit, pied gauche et suivez votre pas sans détailler les mouvements. Vous pouvez utiliser cette forme d'exercice à d'autres moments, dans la rue par exemple, sans éveiller la curiosité des passants.

Lorsque vous aurez trouvé une cadence satisfaisante et la suivrez par la pensée sans effort, vous avez des chances de vous aviser tout à coup que vous devez avoir l'air ridicule.

"Si quelqu'un me voyait ! Je dois avoir l'air malin !"

Votre pensée s'évade, votre attention se détourne des gestes de la marche.

Après un instant, vous réagissez ; vous récupérez la liberté de fixer volontairement votre attention et découvrez alors que vous avez perdu le rythme, que tout est à recommencer.

"Où en suis-je ? Pied gauche, pied... non, c'est trop rapide. Pied droit..."

Vous êtes en train d'expérimenter la difficulté d'arrêter sa pensée sur un acte habituellement inconscient. Vous constaterez que la cause des distractions qui interrompent votre contemplation active c'est le fourmillement des idées, l'animation anarchique de la pensée qui sollicite votre attention en tous sens.

Nous allons examiner plus en détail ce problème des vagabondages de la pensée au cours de la description second exercice.

Les trente minutes de l'exercice de marche sont-elles écoulées ? Elles ont certainement passé vite, mais il n'est pas sûr que vous vous sentiez content de vous. Vous aviez sans doute espéré faire beaucoup mieux un exercice qui vous paraissait simple.

Néanmoins, estimez qu'il est très salutaire pour vous d'avoir pris conscience de vos distractions et d'avoir fait effort pour ramener votre attention sur l'objet que vous lui aviez assigné.

Le mouvement respiratoire

Pour cet exercice, choisissez un coin tranquille et une heure favorable à la solitude.

Asseyez-vous, sur une chaise, dans la posture la plus naturelle et la meilleure : les jambes croisées au niveau des chevilles, les genoux disjoints, les bras et les épaules souples, les mains posées l'une sur l'autre, la tranche en contact avec le bas-ventre, les pouces se touchant, le dos bien droit.

L'exercice ne consiste pas à modifier la cadence respiratoire ou à percevoir consciemment le va-et-vient de l'air par les narines.

Notre contemplation aura pour objet *le mouvement d'élévation et d'abaissement du ventre*, mouvement qui accompagne naturellement une respiration bien localisée.

Vous êtes au repos et votre respiration provoque un mouvement de l'abdomen à peine sensible. Les mains, qui sont en contact avec le bas-ventre, perçoivent la légère ondulation qui le parcourt.

Vous commencez à penser : *élevé*, quand l'abdomen se gonfle, *abaissé*, quand il s'affaisse. Vous pouvez choisir d'autres mots, pourvu qu'ils caractérisent bien, pour vous, l'acte qui s'accomplit et vous observez.

Il est assez simple de fixer l'attention sur ce mouvement régulier, et les perturbations de la respiration, provoquées par l'attention portée sur le mouvement du ventre, seront beaucoup moins sensibles que celles qui troublèrent votre marche au début du premier exercice.

Si votre attitude assise est correcte, vous êtes dans un état de repos favorable à la prise de conscience.

Une fois la cadence des mots bien accordée au rythme de l'ondulation, les distractions de la pensée font leur apparition.

On s'aperçoit tout à coup qu'un moment vient de s'écouler pendant lequel le ventre a continué tout seul son mouvement régulier. La pensée, vive comme un poisson, s'est évadée de la contemplation.

Les Hindous comparent la pensée à un singe agile. Les trois singes de Bénarès, dont l'un se bouche les yeux, le second les oreilles et le troisième la bouche, symbolisent l'effort du Sage qui doit se fermer à la sollicitation des sens pour mieux obtenir un silence intérieur où peut naître la méditation.

Il ne s'agit pas là d'un bonheur acquis au prix du refus de vivre, mais d'une liberté de se mettre volontairement à l'abri de ce qui nous sollicite et nous détourne de l'objet de notre contemplation consciente.

Ramenons sans impatience notre attention vers le va-et-vient musculaire de l'abdomen. Ne nous effrayons pas de cet inlassable chassé-croisé de l'attention et de la distraction.

Notre pensée s'égare vers des souvenirs, des projets, des sensations extérieures, des fourmillements et des agacements de nos muscles, une impression d'ennui, de gêne...

Il peut arriver que le malaise grandisse, rendant impossible le retour à l'attention lucide et paisible, en accord avec le mouvement du ventre. L'effort pour vaincre la distraction reste inopérant.

Il faut alors *accueillir* la pensée qui nous assaille, arrêter notre attention sur le malaise même que nous éprouvons, reconnaître et écouter ce qui nous sollicite. La force d'attraction de cette distraction s'épuisera alors et nous retrouverons la liberté d'attacher notre pensée consciente de l'acte de respiration.

Ces intermittences de l'attention qui "court-circuitent" notre effort peuvent être raréfiées et rendues beaucoup moins éprouvantes si on ne leur accorde aucune valeur émotionnelle. Restez l'observateur de vous-même qui exerce son attention, en note sans s'émouvoir les interruptions dont il reconnaît les causes ; puis, ramenez tranquillement votre pensée sur son objet.

Cet exercice, qu'il faut répéter sans se lasser, a pour effet de fortifier la pensée et de tranquilliser l'esprit.

Vous ressentirez plus ou moins vite le bénéfice de cet entraînement, qui exige une longue patience et une confiance dans le but à atteindre.

Les yogis s'imposent des périodes de retraite monastique, au cours desquelles ils s'adonnent aux exercices de l'attention pendant de longues heures chaque jour, réservant seulement quatre heures pour le sommeil.

Il n'est pas question, pour nous, de chercher mieux que l'amélioration de notre attention, et une liberté accrue de notre pensée. Ces résultats, qui auront sur notre vie des répercussions non négligeables, sont faciles à atteindre par de courtes séances d'entraînement suffisamment fréquentes.

Vous trouverez bientôt dans l'exercice de votre pensée attentive un plaisir analogue à celui qu'éprouve le sportif qui se sert de son corps.

Vous pourrez alors, avec beaucoup de profit, utiliser à l'occasion un moment de loisir ou d'attente, un de ces moments "perdus" dont nos journées sont encombrées, pour vous entraîner à ces exercices de concentration.

La certitude de travailler à votre amélioration personnelle fera de ce moment "perdu" un des moments féconds de votre journée.

13

LES ASANAS
DEUXIÈME SÉRIE

Après avoir étudié et pratiqué la première série et vous être plus ou moins facilement familiarisé avec ces attitudes, commencez l'étude et la pratique de cette nouvelle série.

Bien que parvenir à l'aisance dans l'exécution des postures consiste à rechercher l'état de confort intérieur, conséquence du massage organique, musculaire, articulaire réalisé, cela dépend de l'accomplissement de l'exercice lui-même, non de votre adresse à le réussir.

Vos premiers essais vous ont sans doute montré que, si *asana* signifie confortable, à peu près aucune des postures ne méritait ce qualificatif, soit en raison de vos propres imperfections, soit par leur temps de maintien.

La posture la plus facile peut devenir inconfortable, au bout d'un certain temps. C'est la raison pour laquelle, nous le répétons, nous n'imposons aucune durée impérative.

Les seules règles à vous rappeler sont les suivantes selon le cas :

1) *Une posture facile* est maintenue raisonnablement de trente secondes à trois minutes, durée moyenne générale dans le cadre du nombre d'attitudes à prendre et du temps que vous vous êtes fixé pour votre séance ;

2) *Une posture délicate* se répète de trois à six fois au rythme de la respiration contrôlée. Dès qu'elle devient supportable, en la travaillant, elle devient une posture facile et obéit à la règle ci-dessus.

Deuxième série

Celle-ci remplacera la première, et ne lui sera en aucun cas ajoutée comme vous seriez peut-être tenté de le faire.

Début de séance

1) Assis ou à genoux en posture A2 ou A10. Pendant quelques instants, réglez votre souffle par la respiration contrôlée (ujjayi) ;

2) Ensuite, étendez-vous sur le dos quelques instants en posture de repos total A1, en respiration naturelle ;

3) Préparez-vous en reprenant la respiration contrôlée et une attitude de légère tension dans tous le corps ;

4) Exécutez le premier étirement A3 ;

5) Après un temps de repos total en A1, passez au deuxième étirement A4 ;

6) Deuxième étirement A4 et repos en A1.

Nota : Sauf pour la série en posture debout que vous trouverez dans les chapitres suivants, nous vous conseillons de toujours commencer vos séances de cette façon.

A11 - Extension - Torsion

1) Préparation

Etendu sur le dos, les bras en croix, paumes des mains appuyées sur le sol. La tête tournée vers la droite

2) Exécution

Tout en expirant, levez la jambe droite que vous portez vers la main gauche dont l'index en crochet saisit le gros orteil.

3) Maintien

Gardez cette attitude tout en étirant les deux jambes et veillant à ce que les deux épaules touchent le sol, malgré la torsion.

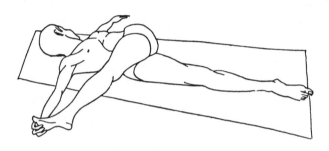

A11

4) Fin

Après une expiration finale, en inspirant ramenez la jambe droite le long de la jambe gauche.

Recommencez immédiatement avec la jambe gauche et restez aussi longtemps de ce côté, puis abandonnez en inspirant et reposez-vous en A1.

Concentration

Fixez votre pensée sur l'étirement des jambes, la torsion du dos.

Respiration

Pendant tout le temps, respirez en respiration contrôlée.

Difficultés

Selon que votre souplesse est médiocre ou bonne, vous éprouverez quelques soucis, non seulement à allonger les jambes en étirant les genoux, mais à garder une attitude en équerre comme il est souhaitable. La tête ne sera pas complètement tournée vers le côté choisi. Les épaules basculeront vers l'un ou l'autre côté, suivant le cas.

S'il vous est impossible de saisir le pied, même en fléchissant le genou, rapprochez cette jambe de votre mieux vers la main correspondante.

Avantages

- Souplesse des jambes. Massage en rotation de la colonne vertébrale de la nuque au coccyx. Détente des contractures dorsales, favorisant la remise en place de petites subluxations.

A12 - Posture de l'étirement postérieur (paschimottanasana)

Nous ne reviendrons pas sur la traduction que nous avons vue avec la première variante indiquée dans la série précédente.

A12 a

Il existe un nombre important de variantes de cette attitude, nous avons choisi la plus complète sinon la plus facile, mais aussi la plus efficace.

1) Préparation

Asseyez-vous, les jambes allongées devant vous serrées l'une contre l'autre. Les bras allongés en avant, les mains croisées reposant sur les cuisses. Expirez.

2) Exécution

a) En inspirant, levez les bras au-dessus de la tête les mains toujours croisées, les paumes tournées vers le haut. Gardez cette attitude en vous grandissant comme si vous vouliez toucher le plafond. Sans élan ni brutalité, allongez vos vertèbres de bas en haut, à chaque inspiration. dès que vous ne pourrez plus vous allonger, passez, en expirant, à la phase suivante ;

A12 b

b) Tout en maintenant la sensation d'allongement des vertèbres, inclinez-vous vers les jambes et placez vos mains, toujours croisées, les paumes tournées vers l'extérieur, au-delà de la plante des pieds.

3) Maintien

Restez dans cette position en *respirant* et en insistant sur l'allongement de tout le torse à chaque expiration. Posez le front, puis le nez, enfin le menton sur les genoux. Après avoir maintenu l'attitude, au maximum, trois à six respirations.

4) Fin

Après une dernière expiration, en inspirant, relevez le torse, les bras tendus au-dessus de la tête comme à la phase préparatoire, et passez à la posture suivante qui lui est complémentaire.

Concentration

Fixez votre pensée non sur la gêne ressentie sous les genoux, due à l'étirement accentué des insertions musculaires et des tendons, mais sur la colonne vertébrale et le ventre.

Respiration

Sans modification, comme pour toutes les autres attitudes. Certains auteurs disent, soit de retenir le souffle, poumons pleins ou vides, dans la phase de maintien, soit, après avoir expiré, de revenir à la position de départ. Nous conseillons le maintien pendant plusieurs respirations sans interruption.

Difficultés

Elles sont multiples cette fois et peuvent paraître insurmontables.

Dans la phase a) les bras sont trop en avant et non derrière les oreilles en raison des raideurs du dos et des épaules. La poitrine n'est pas assez bombée.

Dans la phase b) cela se complique : il vous est impossible, non seulement de placer les mains comme indiqué, mais même de saisir les orteils du bout des doigts. Pour l'une ou l'autre éventualité, faites de votre mieux.

Dans la phase b) afin de travailler la posture, lâchez le croisement des doigts et saisissez la partie de la jambe qui vous tombe sous la main, les pouces au-dessus, les doigts sur les jarrets ou la cheville. Tirez sur ce point d'appui à chaque expiration.

N'oubliez pas de creuser le ventre en vous penchant en avant et de faire comme si vous vouliez poser le "nombril" sur les cuisses et non la tête.

Avantages

- Heureusement que l'intérêt de cette posture compense les difficultés, sans cela vous seriez tenté d'abandonner. C'est le moment de bien relire les chapitres précédents.

- Cette posture, en effet, à la plaisante réputation d'entretenir la jeunesse par son action sur les glandes endocrines. Elle apporte tous les avantages de sa soeur "sur le dos" de la première série en les décuplant. Elle fait partie des principales postures de base du hatha yoga.

A13 - Posture de l'étirement antérieur (purvottanasana)

Cette posture, comme son nom l'indique, fait tout naturellement suite à la précédente, non pour en annuler les effets, mais les compléter. Purva signifie l'est, comme paschima voulait dire l'ouest, et uttana veut dire : étirement intense.

1) Préparation

Etant assis les jambes allongées dans la phase finale de la posture précédente, en abaissant les bras, placez les mains sur le sol en arrière des hanches, les doigts dirigés vers l'avant et non vers l'arrière. Fléchissez légèrement les genoux pour placer les plantes de pied à plat.

2) Exécution

En expirant, soulevez le corps, les bras et les jambes tendus.

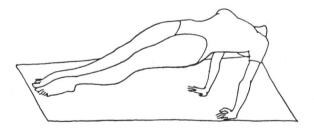

3) Maintien

Tout le corps est étiré, la tête renversée en arrière, le torse bombé. En principe, le tronc sera parallèle au sol. Gardez cette attitude tout en respirant.

4) Fin

En expirant, relâchez doucement la tension, asseyez-vous et étendez-vous sur le dos, reposez-vous longuement, car vous avez deux posture à compenser.

Concentration

Sur la colonne vertébrale.

Respiration

Toujours aussi ample et régulière que le permet l'inconfort de l'attitude et l'effort qu'elle demande.

Difficultés

Pour beaucoup d'entre vous cette attitude est rapidement fatigante et nous avons tendance, soit à l'abandonner trop vite, soit à ne pas tendre suffisamment le corps.

Les plantes des pieds ne sont pas à plat.

Les genoux sont fléchis.

Les hanches affaissées.

Le ventre gonflé et la poitrine creusée, alors que ce devrait être le contraire.

Il n'est pas impossible qu'au début aussi l'étirement des jambes et des pieds provoque de désagréables crampes dans les mollets et les orteils.

Surmontez peu à peu ces écueils.

Avantages

- Outre, celui de compenser une flexion avant prolongée ou répétée nécessitée par une posture telle que la précédente, cette attitude fortifie les bras et les poignets, améliore le jeu articulaire des épaules, étire le torse.

A14 - Posture du corps tout entier (sarvangasana)

Bien qu'apparemment presque semblable à la posture renversée de la première série, les nuances de cette posture en modifient notablement les effets par rapport à la première. Sarva et anga veulent dire tous les membres ou tout le corps, parce que tout l'organisme est intéressé.

1) Préparation

Etendu sur le dos, les jambes allongées serrées l'une contre l'autre. Les mains plaquées au sol de chaque côté du corps. Inspirez.

2) Exécution

.En expirant et en vous servant de l'appui des mains sur le sol, soulevez le bassin, les jambes tendues, vers l'arrière de la tête. Ce passage de la position sur le dos à la position levée doit vous être facilité par la pratique de la posture renversée.

Dès que les hanches sont suffisamment soulevées, placez vos mains sous les reins pour insister doucement sur ce renversement.

Enfin, sur une inspiration, levez les jambes vers le haut les pointes des pieds dirigées vers le plafond.

3) Maintien

Le corps repose alors sur le crâne, la nuque, les épaules et les coudes. Telle est l'attitude finale pendant laquelle tout le corps est absolument à la verticale du sol. La poitrine, ou plus exactement le sternum est appuyé contre le menton. A chaque expiration, améliorez votre attitude en tirant les jambes vers le haut comme si vous vouliez atteindre ou repousser le plafond.

En principe, cette posture ne doit pas être gardée moins de trois minutes ni plus de quinze minutes. Ces durées peuvent vous paraître excessives. Elles le sont pour les débutants et pour toute personne incapable de rester immobile quelques instants.

Il est raisonnable que cette durée, outre le temps dont on dispose, soit déterminée par la sensation de confort ou d'inconfort éprouvée.

Concentration   Sur le maintien de l'attitude droite et les sensations intérieures éprouvées : circulation, vibrations diverses.

A14

Respiration   Il semble que dans cette position la respiration soit rendue difficile, en réalité la respiration contrôlée, telle que nous la conseillons, en est au contraire facilitée. L'audibilité du son de l'arrière-gorge en est accentuée. Toutefois, la respiration est obligatoirement plus diaphragmatique que thoracique.

Difficultés   A part la prise de posture elle-même qui peut arrêter pendant un certain temps, par la crainte de vous rompre le cou en vous renversant en arrière, cette attitude offre moins de vraies difficultés à surmonter que de surveillance à effectuer.

Le manque de souplesse de la colonne vertébrale et de force dans les reins et le ventre, nécessite quelque temps un élan qu'il est souhaitable de diriger ou doser et de supprimer dès que possible.

En outre, parce que sa soeur la posture renversée autorise l'inclinaison légère des jambes (le corps formant un angle très ouvert entre le tronc et les jambes), vous aurez tendance à vous contenter de cette première attitude, alors que dans cette deuxième, il est nécessaire d'être, cette fois, aussi droit que possible, le menton bloqué contre le sternum. Les coudes non écartés, mais parallèles l'un à l'autre.

Avantages

- Par tous les yogis, cette posture est considérée comme la "Mère" des asanas. La plus importante, donc, avec la posture de la tête (shirshasana) considérée comme le "Père" des asanas.

- Père et Mère, en l'occurrence signifiant non les géniteurs des autres postures, mais les deux piliers sur lesquels s'appuie le perfectionnement humain ; on leur attribue un facteur positif et un facteur négatif, toujours complémentaires l'un de l'autre.

- Il est de ce fait classique chez certains maîtres yogis de commencer toutes les séances par l'une ou l'autre de ces deux postures, de préférence la posture de la tête (+) que nous étudierons plus tard, suivie au cours de la séance, ou immédiatement, par la posture du corps tout entier (-), ce qui a donné lieu à quelques erreurs que nous vous éviterons.

- Pourquoi cette posture est-elle si importante ? Parce que, en raison de l'inversion du corps, le sang en irrigue plus fortement la partie haute et les glandes endocrines afférentes. Décongestionnant les jambes et le bassin, replaçant les organes descendus et favorisant la respiration diaphragmatique, soulageant les asthmatiques, voire les rééduquant.

● Cette posture utilisée régulièrement diminue les varices, soulage les hémorroïdes, permet de juguler le rhume de cerveau.

Arrêtons là cette énumération des avantages de cette posture, et répétons qu'elle est *vraiment* importante.

Contre-indication

Après tous ces avantages, il y malheureusement le revers de la médaille, vous vous en doutez bien. Sachez que cette posture ne peut être utilisée si vous souffrez des vertèbres cervicales, d'hypertension, d'artériosclérose, de troubles infectieux chroniques ou passagers tels que sinusite, otite, ophtalmies.

Ces limitations ne font que confirmer ce que nous avons dit à propos de l'action "thérapeutique" des postures.

En outre, petit détail, mais qui n'est pas sans importance, si à un moment donné de cette posture vous sentez la démangeaison d'un éternuement, revenez à la position couchée, sinon vous risqueriez de perdre l'équilibre et de vous subluxer les vertèbres.

A15 - Posture de la charrue (halasana)

Ainsi nommée parce que la forme que prend le corps ressemble à une charrue. Ne cherchez pas une similitude avec notre instrument de labour, il s'agit d'une charrue primitive !

1) Préparation

Comme pour le départ de la position précédente et de la position renversée, vous êtes étendu sur le dos, les mains à plat sur le sol, le menton contre la gorge (important).

A15 a

A15 b

A15 c

2) Exécution

Sur une expiration, renversez le corps en arrière, sans élan si possible, en prenant appui avec vos mains sur le sol.

Puis, placez vos mains sur le milieu du dos après avoir le tronc aussi droit que possible par rapport au sol et allongez, au maximum, les jambes, les pieds touchant le plancher derrière la tête.

3) Maintien

La posture étant ainsi prise, replacez les bras allongés en opposition des jambes, les bras parallèles, ou si vous pouvez, croisez les mains, les paumes tournées vers l'extérieur, à chaque expiration insistez doucement sur l'étirement des jambes et des bras.

A garder, suivant votre aisance, de quelques secondes à deux ou trois minutes.

4) Fin

Si vous avez croisé les doigts, relâchez les mains qui prennent appui sur le sol et revenez en inspirant, puis détendez-vous.

Concentration

Surtout sur la respiration qu'au début on a tendance à oublier, et sur la colonne vertébrale et la gorge.

Respiration

Assez limitée dans son expansion, comme on peut le penser, elle doit être calme et régulière comme toujours et sans interruption.

Difficultés

Celles-ci sont à peu près identiques à celles de la posture précédente, compliquées éventuellement par un excès d'embonpoint et une souplesse déficiente.

Ne forcez pas avec saccades, comme on peut être tenté de le faire, insistez doucement : vos pieds descendront petit à petit. Ne fléchissez pas les genoux.

Avantages

● Nous retrouvons dans cette posture à peu près les mêmes avantages que dans la posture précédente dont elle est complémentaire. En plus, elle possède une action plus marquée sur les organes abdominaux par la contraction plus poussée qu'elle nécessite.

- La colonne vertébrale est massée entièrement. Certain maîtres considèrent cette posture comme souveraine contre les lumbagos et l'arthrite de la région dorsale et lombaire. Cette action est, sans doute, préventive, car nous voyons assez mal une personne souffrant d'un lumbago se risquer à cette attitude.

- En outre, cette posture est conseillée aux personnes souffrant d'hypertension ; celles-ci pourraient alors prendre d'abord cette attitude et la faire suivre de la posture du "corps tout entier". A notre point de vue, sans vouloir mettre en doute l'avis de yogis, dont la connaissance est incontestable, nous préférons être plus circonspect et demander malgré tout l'avis du médecin...

- La posture de la charrue est une posture clef, c'est-à-dire qu'elle prépare à la posture "du corps tout entier" puisque celle-ci débute de la même façon, et à la posture de "l'étirement postérieur" (A12) ; cependant, pour votre commodité, nous préférons conseiller de la pratiquer après.

A16 - La posture du poisson (matsyasana)

Bien que cette image soit frétillante par le nom qu'elle porte, vous verrez qu'elle n'a qu'un rapport assez lointain avec le poisson (matsy), sauf peut-être parce que, à vos risques et périls, prise dans l'eau elle peut vous permettre de flotter, et encore ! A vrai dire ce n'est pas pour cette raison qu'elle porte ce nom et nous préférons l'explication donnée par B. K. S. Yiengar *(Light on Yoga)*.

Cette posture serait dédiée à Matsya, le poisson, incarnation du dieu Vishnou soutien de l'Univers. La légende indienne raconte qu'il y a longtemps (!) le monde était si corrompu qu'il était sur le point d'être submergé par un déluge universel. Vishnou prit la forme d'un poisson et prévint Manou (l'Adam hindou) du désastre imminent. Le poisson-dieu transporta Manou, sa famille et sept grands Sages sur un bateau. Par la même occasion furent sauvés du déluge les *Vedas*, écritures sacrées hindoues.

Voilà qui nous semble éminemment familier ! Y aurait-il eu plusieurs déluges : celui de notre Bible et celui des Hindous ? Peu importe, laissons ce problème insondable et reprenons notre posture, ou plutôt essayons de la prendre !

1) Préparation

Assis, les jambes allongées, placez les avant-bras sur le sol derrière vous.

Renversez la tête en arrière en creusant les reins et en bombant la poitrine le plus possible. Posez le sommet du crâne sur le sol, en glissant les coudes en avant pour diminuer la distance entre le sol et la tête.

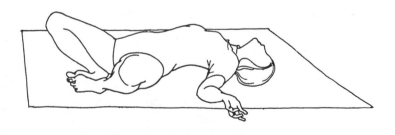

2) Exécution

Dès que vous avez ainsi pris contact avec le tapis, repliez les genoux, plantes des pieds sur le sol. En vous aidant des mains sur les hanches, augmentez la cambrure des reins. Puis écartez les genoux, les plantes des pieds se faisant face, en gardant les coudes au corps, écartez les avant-bras.

3) Maintien

Une fois cette attitude prise de votre mieux, gardez-la plusieurs respirations contrôlées dans la limite du supportable.

Concentration

Fixez votre attention sur la respiration et la cambrure du dos.

Respiration

Comme toujours rythmique et thoracique.

Difficultés

La véritable façon de prendre cette attitude nécessite la position des jambes, très spéciale, dite en "lotus".

C'est ainsi d'ailleurs qu'elle justifierait sa réputation de "flottabilité" sur l'eau, encore que même en "lotus" (variété de nénuphar, donc plante aquatique) votre ligne de flottaison risque de ne pas correspondre à vos souhaits !

Aussi, avec ou sans lotus, cette attitude est-elle préférable et plus utile sur la terre ferme.

Quelques personnes peuvent éprouver des vertiges, une sensation nauséeuse, en renversant la tête en arrière ; si tel est votre cas, n'insistez pas et remplacez cette posture par celle du cobra (A9) qui possède les mêmes vertus pour compenser et compléter l'action des flexions en arrière.

Veillez à ne pas soulever les hanches et à bien arquer le dos.

Avantages

● En plus de l'effet compensateur et complémentaire qui lui est propre, c'est-à-dire l'irrigation de la région thyroïdienne comprimée par les postures précédentes, *cette attitude* développe le thorax et de ce fait accroît la vitalité en améliorant la capacité respiratoire ; masse le dos en luttant contre nos positions habituelles toujours inclinées en avant.

● Elle stimule le système nerveux, tonifie les organes abdominaux et soulage les hémorroïdes par la position écartée des jambes, agissant sur la région pelvienne comme la posture du lotus.

Nous décrivons plus loin cette posture du lotus. La position des mains saisissant les orteils et l'attitude du torse et de la tête sont les mêmes.

A 17 - Posture de la montagne (parvatasana)

Cette attitude, contrairement à ce que son nom parvata : montagne, pourrait laisser supposer, ne vous entraînera sur aucun sommet inaccessible. En principe, cette posture se prend en "lotus" mais ne se dévalorise pas si vous la pratiquez à genoux (A10) ou en posture aisée (A2).

1) Préparation

Assis, jambes croisées ou sur les talons, ou entre les talons, à votre gré. Le menton contre la gorge, le dos très droit, croisez les doigts, tendez-les bien devant vous, les paumes dirigées vers l'extérieur. Expirez.

2) Exécution

En inspirant, levez les bras au-dessus de la tête.

3) Maintien

Gardez l'attitude pendant un minimum de dix respirations, en allongeant le dos sans vous cambrer si vous êtes à genoux.

A17 a

A17 b

A17 c

A17 d

Variante

Après avoir pris l'attitude de maintien précédente, en expirant, abaissez les mains derrière la nuque *les paumes toujours tournées vers les haut*. En inspirant, revenez bras tendus au-dessus de la tête. En expirant, abaissez le bras en avant parallèlement au sol. En inspirant, ramenez les mains contre la poitrine en ouvrant le torse, en *rapprochant les omoplates*. En expirant, allongez les bras en avant en gardant *toujours les omoplates contractées*. En inspirant, relevez les bras au-dessus de la tête. En expirant, lâchez les mains, abaissez les bras latéralement, l'exercice est terminé.

Veillez à garder une respiration dont les périodes soient aussi égales que possible malgré l'amplitude des gestes différents, ceux-ci s'accélèrent ou se ralentissent au gré du souffle et non l'inverse.

A17 f

A17 g

A17 h

Concentration

Dans la phase de maintien, fixer votre pensée sur la rectitude du dos.

Dans la phase de variante, dosez vos gestes par rapport à la respiration.

Respiration

Rythme contrôlé, comme toujours le ventre plat, le torse bombé.

Difficultés

Seules les personnes dont la colonne vertébrale présente des déviations importantes seront gênées. Les autres veilleront à la régularité de la respiration.

Avantages

- En plus de ceux de toute position assise ou à genoux, en ce qui concerne la circulation sanguine des régions sous-abdominales, l'étirement des bras élevant le torse soulage certaines douleurs dorsales après une position trop penchée en avant et replace les vertèbres dans une superposition rectiligne.

● Facilite la digestion après un repas un peu indigeste. Là encore, à moins d'être seul ou dans une ambiance compréhensive, reconnaissons que si valable que soit l'exercice, il est difficile à utiliser en tous lieux !

Ceci termine notre deuxième série que vous pouvez compléter par quelques respirations contrôlées et une ou deux minutes de posture de repos total.

Ne vous laissez pas démoraliser par les difficultés. A part certains cas réfractaires très rares, il est à peu près sans exemple que l'on ne parvienne pas à un minimum extrêmement satisfaisant, car la "pensée peut tout". C'est ce que nous allons envisager maintenant.

**AIDE-MÉMOIRE
PRATIQUE DES
ASANAS CITÉS :**

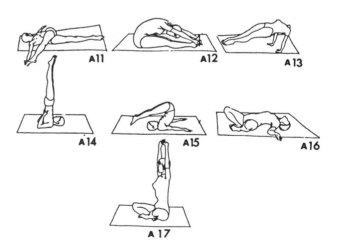

14

LA MAÎTRISE
DE LA PENSÉE

Ce titre prometteur, et même un peu prétentieux, correspond à la phase d'étude que nous allons aborder plus franchement maintenant.

Vous avez déjà utilisé, sinon approfondi, cette maîtrise dans les chapitres précédents, notamment dans "Relaxation et yoga" et "Soyons à l'écoute de nous-même".

Dès le premier chapitre, nous vous avons prévenu que la pratique du yoga dépendait, non de quelques attitudes bizarres mais du franchissement de huit degrés. Comme ces étapes ne sont pas forcément à surmonter l'une après l'autre, disons que le yoga recèle son secret derrière une enceinte défendue par huit portes, chacune d'elles pouvant mener au centre de la Connaissance.

Nous vous avons entrebâillé quatre de ces portes, à vous de les ouvrir davantage.

Faisons un rapide retour en arrière pour éclairer quelques points obscurs. Dans l'ordre selon lequel les étapes vous ont été présentées, nous trouvons, successivement :

La maîtrise de l'énergie vitale par la respiration, exposée aux chapitres 4, 5, 6, et 7 et correspondant au 4e degré du yoga : pranayama.

Comment apprendre à nous contracter et nous détendre à bon escient, au chapitre 8 et correspondant au moyen d'atteindre le 5e degré ou pratyahara.

Quelques attitudes corporelles pour vous entretenir, chapitres 9, 10, et 13 correspondant au 3e degré : asanas.

La fixation de la pensée par l'attention, recommandée au chapitre 12 correspondant au 6e degré : dharana.

L'enchaînement des étapes selon la tradition n'a pas été respecté, ce qui n'offre aucun inconvénient pour la simple raison que l'être humain ne se découpe pas en tranches et que chaque degré n'a de valeur qu'en respectant les autres.

Par exemple, une posture ne méritera ou ne portera le nom d'asana (3e degré) que pendant un court instant, celui pendant lequel vous garderez la respiration appropriée (4e degré) favorisée par un équilibre tensionnel (5e degré) grâce à une attention sans défaut (6e degré).

Nous vous avons dit aussi que le hatha yoga, bien que constituant en lui-même un système complet, était cependant normalement destiné à déboucher sur le raja yoga ou Voie royale, plus semée d'embûches que ne le laisserait supposer son nom.

Le passage de l'un à l'autre yoga se fait par un relais commun aux deux méthodes. Ce relais n'est autre que le 5e degré qui ouvre la voie aux trois suivants dans l'ordre traditionnel, c'est-à-dire la méditation, la concentration, l'identification.

Mais, direz-vous avec inquiétude, je n'ai guère envie de m'aventurer sur des voies aussi rigoureusement !

Rassurez-vous, amis lecteurs, si ces mots vous font peur, nous vous familiariserons avec leur véritable sens. Pour l'instant, prenons-les tels quels et continuons.

Ces trois étapes ne peuvent s'atteindre sans la capacité de "*dénouer*" les tensions et de *rassembler* les dispersions mentales. C'est la raison pour laquelle nous avons mis à cette 5e "porte" l'étiquette "tension-détente", ce que d'autres appelleraient "relaxation".

Or, cette étiquette ne traduit pas exactement le mot pratyahara dont le sens est "retrait", mais indique le premier moyen à employer pour maîtriser la pensée, le deuxième, simultané à la détente, étant de "retirer" du corps les contractions qui y sont dispersées pour recueillir l'énergie qu'elles représentent.

Qu'est-ce que cela veut dire ?

Si nous prenons la définition classique des experts sans-critistes, nous lisons en regard du mot Pratyahara : "Recueillement au cours duquel on retire l'attention de l'extérieur pour la porter vers l'intérieur".

N'est-ce pas ce à quoi nous vous avons convié, lorsqu'en "posture de repos total" vous "retirez" de vos bras, de vos jambes, de vos groupes musculaires, l'énergie qui les contracte ?

Ce retrait une fois obtenu, non seulement votre corps prend des contours flous, vous n'arrivez plus à sentir l'existence de vos membres, mais le flot de vos pensées s'atténue puisque vous éprouvez même une torpeur incitant au sommeil.

Les difficultés rencontrées pour parvenir à cet état sont dues aux émotions, aux désirs incontrôlées, à la ronde des pensées qui vous effleurent, vous entraînant au loin, et provoquent en vous de nouvelles contractions. Si vous cherchez le sommeil, il vous fuit.

Maîtriser notre pensée nous ouvre toutes les portes du yoga, celles de la santé, de la vie, et modifie notre destinée.

- Là, je ne vous suis plus ! Il ne faut pas exagérer !

Certes, j'ai des difficultés à me décontracter, voire à dormir parce que mes soucis me harcèlent, mais quant à ma destinée elle dépend des événements, des circonstances, de mon ambiance familiale, de tout ce qui fait partie de ce monde extérieur ou objectif, comme disent les philosophes. Monde sur lequel ma pensée ou ma volonté n'ont aucune action !

- En êtes-vous bien sûr ?

Ne croyez-vous pas que votre attitude intérieure, celle de votre monde *subjectif,* par opposition au monde *objectif,* n'a pas été en partie, sinon en totalité, responsable de votre orientation, de vos échecs, comme de vos réussites ?

Une pensée hostile, non dominée, s'exprimant par une agressivité grincheuse, vous a fait mal juger par une personne cependant bien disposée à votre égard...

Une pensée de crainte, non surmontée, vous a fait agir en timoré, et les conséquences de votre acte furent irréversibles...

On pourrait énumérer sans fin les occasions manquées, non par suite de circonstances extérieures, mais à cause de nos pensées destructrices qui nous ont, pourrait-on dire, forcé la main.

De même, combien de fois avons-nous été porté vers un succès par l'élan d'une pensée créatrice qui nous habitait, par un mouvement spontané de générosité !

Pouvons-nous devenir maîtres de nos pensées ?

Suivez le chemin que nous traçons.

Revenons un peu, d'abord, sur nos pas, car nous avons prématurément poussé la 6e porte sans avoir épuisé ce que la 5e pouvait nous offrir en plus de la "détente".

Vous avez pu vous rendre compte combien cette détente, ou plus exactement ce contrôle des tensions, est malaisé du fait que la pensée est fugace, vagabonde.

Cela est aussi vrai pour les autres exercices.

En essayant les postures ou la respiration, n'avez-vous jamais pensé à autre chose ? Ne vous êtes-vous pas irrité de votre maladresse ou même félicité de votre adresse ?

Autant de divagations mentales montrant votre manque de "recueillement", votre difficulté de retirer votre attention, soit d'un point du corps pour la transposer sur un autre, soit d'un "objet" extérieur pour la ramener sur le "sujet" intérieur.

C'est bien ce que nous disent les yogis !

Ceux-ci, connaissant toutes les difficultés pour les avoir surmontées après les avoir toutes rencontrées, nous offrent un curieux moyen de fixer notre pensée sur un point au détriment des autres.

Ce moyen va vous étonner car nous, Occidentaux, en faisons un tout autre usage : il s'agit des exercices des yeux. Rendus célèbres par Aldous Huxley et le docteur Bates, mis en application par la médecine officielle et parallèle, exposés remarquablement dans le livre de Margaret Darst Corbett : *Le Yoga des Yeux*[1], ces exercices oculaires sont considérés par nous comme une méthode de rééducation de la vue, ce qu'ils sont effectivement. Les Hindous leur accordent une valeur beaucoup plus étendue.

---

1   M.D. CORBETT : Le Yoga des Yeux, traduction et adaptation du docteur R.E. Longue. Aux Éditions M.C.L.

L'amélioration des défauts de vision n'est, pour eux, qu'une conséquence annexe de ces exercices dont le véritable but est de favoriser la concentration et la perception extra-sensorielle. C'est d'ailleurs cet objectif qui nous intéresse actuellement ; si de surcroît vous gagnez, à les pratiquer, une vue meilleure, tant mieux !

Maîtrise du regard, maîtrise de soi

Miroirs de l'âme, les yeux méritent une mention spéciale dans le cadre de la discipline yogique. Notre vitalité psychique et physique ou notre incertitude mentale, notre fatigue secrète passent dans notre regard qui peut être franc et assuré ou fuyant, instable. La maîtrise de cet organe de la vision réagit à la fois sur notre état mental et sur la qualité, l'acuité de notre vue.

Pouvoir fixer volontairement notre regard développe nos facultés d'attention et de concentration, permet de vaincre nos distractions, de dominer notre timidité, notre émotivité, voire de surmonter une tendance à la dépression.

Outre les bénéfices psychiques qu'on en tire, les exercices oculaires fortifient les yeux et remédient à certains défauts de la vue. Nombreux furent nos élèves qui ont constaté les résultats obtenus rapidement et s'en sont émerveillés.

Toutefois, cet entraînement ne supplée pas à une vie saine et naturelle. Le bon équilibre des fonctions organiques est renforcé par la pratique habituelle des postures et, notamment, des postures A8 et A14.

Fixations oculaires ou drishtis

A la condition de ne pas transgresser les principes habituels de modération, aucun des exercices ci-dessous n'est dangereux pour la vue.

Il existe des contre-indications, néanmoins. Prenez conseil de votre médecin oculiste.

Fixation du regard sur la pointe du nez (nasagra drishti)

Assis dans votre posture préférée, respirez rythmiquement suivant votre cadence habituelle de respiration contrôlée et fixez votre regard sur la pointe du nez (vous ne verrez d'ailleurs que l'extérieur de vos narines). Maintenez cette fixité autant de temps que vous le pourrez, sans gêne ni crispation, et ne vous contraignez pas à ne pas ciller. A la moindre fatigue, reposez-vous et recommencez une ou deux fois l'exercice, puis cessez.

Fermez les yeux et attendez que la fatigue éprouvée se dissipe ; puis, recommencez. La durée moyenne d'un tel exercice est de 3 à 5 minutes, mais, si vous faites aussi les suivants, une minute pour chacun est suffisante.

Fixation du regard entre les sourcils, ou bhrumadhya drishti

Dans la même position que précédemment, respirez rythmiquement et fixez votre regard vers le haut, comme si vous vouliez voir un point situé au-dessus de la racine du nez, entre vos sourcils. Cessez dès les premiers symptômes de fatigue, reposez-vous et recommencez une ou deux fois cet exercice.

Remarque. Aussi bizarre que cela puisse vous paraître, il s'agit bien de faire converger les yeux sur le point le plus rapproché possible, c'est-à-dire de "loucher". N'ayez absolument aucune crainte quant aux conséquences de cette loucherie volontaire : vous ne risquez en aucune façon d'être atteint de strabisme convergent.

Pour que ces deux exercices soient efficaces, il faut faire converger les deux yeux au maximum. Voici un bon moyen pour y parvenir.

Fixez la pointe d'un crayon ou d'une plume placée à 10 cm du visage et perpendiculairement soit au bout du nez (exercice 1), soit au front (exercice 2). Regardez cette pointe en la rapprochant de vous progressivement. Tant que vous verrez l'image de deux crayons se touchant par la pointe, vos yeux convergeront parfaitement bien ; si, à un moment, ces images se croisaient, c'est que vos yeux divergeraient, alors éloignez le crayon et recommencez. Dès que loucher volontairement vous sera devenu facile, dès que vos yeux convergeront sur un point très rapproché sans dévier, vous pourrez vous livrer à ces deux drishtis les yeux fermés, ce qui vous permettra de vous exercer n'importe où sans être remarqué.

Balancement des yeux

En posture assise, inspirez, regardez droit devant vous un point - réel ou imaginaire - sur le mur ou à l'horizon. Puis expirez en abaissant lentement et régulièrement le regard, sans saccades, sans bouger la tête, comme si vous suiviez attentivement une ligne droite qui partirait du point choisi pour aboutir à vos pieds. En inspirant, reportez lentement le regard à son point de départ, le long de cette même ligne fictive, puis imaginez que ce même point s'élève sur une verticale et redescend ; enfin, qu'il va de gauche à droite. Tout cela sans que la tête ne bouge.

Au début de votre entraînement, vous remarquerez la difficulté qui existe à suivre du regard, sans à-coups, une ligne continue, mais, au bout de quelques exercices, vous parviendrez à surmonter cet obstacle.

Roulement des yeux

Assis dans une position aisée, sans remuer la tête, le corps droit, regardez devant vous. Expirez en abaissant votre regard, jusqu'à vos pieds. Puis, inspirez rythmiquement en décrivant un cercle avec vos yeux, c'est-à-dire : regardez d'abord à vos pieds et remontez lentement vers le haut, en commençant par la droite. Lorsque vos yeux sont dirigés sur le point situé au-dessus de vous, expirez en continuant à décrire le cercle vers la gauche et faites redescendre votre regard jusqu'à vos pieds. Inspirez en continuant votre cercle. Exécutez cette rotation oculaire comme si vous suiviez des yeux un cercle imaginaire du plus grand diamètre possible, et autant de fois d'un côté que de l'autre, trois fois environ ou plus selon la fatigue.

Remarque. Comme il est de règle pendant tout votre entraînement, ne crispez pas les traits de votre visage : soyez attentif à ce que vous faites, mais restez tout à fait calme.

Ces exercices pratiqués chaque jour vous prendront tout au plus trois ou quatre minutes, en fin de séance d'entraînement, par exemple, ou à n'importe quel moment de la journée.

S'ils ne suffisent pas toujours à supprimer radicalement le port des lunettes, ils permettent en tout cas d'en reculer l'échéance et améliorent la vue de ceux qui s'y adonnent avec constance.

Concentration oculaire du Sage ou tratakam

Choisissez, assez près de vous, un objet minuscule, une tête d'épingle, la pointe d'une flamme, tel détail du mur à la hauteur de vos yeux ou, encore, dessinez sur un carton blanc un point noir d'un demi-centimètre de diamètre et fixez ce carton au mur.

Asseyez-vous et regardez fixement cette cible, les yeux ouverts sans ciller, jusqu'à ce que les larmes vous viennent aux paupières. Fermez les yeux, cillez plusieurs fois et recommencez.

Augmentez graduellement la durée de cet exercice - de quelques secondes à une minute chaque semaine - jusqu'à ce que vous puissiez, sans peine et à votre gré, rester sans ciller aussi longtemps que vous le désirez.

Dès que vos yeux commenceront à picoter, résistez à l'envie de les fermer, en écarquillant plusieurs fois les paupières et maintenez avec ténacité votre regard sur le point choisi.

Vous pouvez également pratiquer cette concentration oculaire sur un objet quelconque, - une fleur par exemple, ou une image pieuse, ou une représentation symbolique choisie suivant vos besoins.

Cet exercice, comme les autres n'offre absolument aucun inconvénient. Bien au contraire, il vous procurera, avec un regard calme et assuré, un mental d'une grande fermeté.

A qui veut se concentrer puissamment, le tratakam est aussi indispensable que les deux drishtis précédents.

Soins à donner aux yeux

Au même titre que les autres parties de notre corps, les yeux ont droit à des soins particuliers.

Les Hindous emploient un moyen fort simple : plongeant le visage dans l'eau froide, ils ouvrent et ferment plusieurs fois les paupières. Ce lavage des yeux est pratiqué le matin et le soir.

Si vous ne souffrez d'aucun trouble infectieux de l'oeil ni d'une sensibilité spéciale du globe oculaire, je vous recommande ce procédé facile, à condition d'opérer dans une eau absolument propre.

Il existe des procédés plus hygiéniques, notamment les bains pratiqués à l'aide d'une oeillère emplie d'eau bouillie chaude, dans laquelle vous aurez fait infuser un peu de camomille.

Evitez autant que possible le port des lunettes "noires". A part de rares exceptions médicales ou climatiques, il ne s'agit là, bien souvent, que d'une mode regrettable.

Habituez plutôt vos yeux à supporter la lumière naturelle et, de temps en temps, exposez-vous au soleil, paupières closes.

En outre, chaque fois que vous le pourrez, le

matin à l'apparition de l'astre du jour ou le soir à sa disparition, fixez-le quelques secondes, pas davantage, au moment où son rayonnement, loin de vous nuire, vous fortifiera au contraire.

Pour détendre les yeux

Nos yeux ne se reposent complètement que pendant notre sommeil. Cependant, après les exercices oculaires et dans la journée, si vous en éprouvez le besoin, le meilleur moyen de détendre vos yeux est de procéder à un massage profond qui consiste à clore les paupières plusieurs fois et très vigoureusement. Entre chacune des contractions, relâchez bien vos muscles, mais sans ouvrir les yeux. Pratiquez ces contractions et décontractions, rapidementet avec force, dix à vingt fois de suite.

La bhrumadhya drishti, ou concentration entre les sourcils, constituera également un bon exercice de détente pour les yeux, une fois qu'elle vous sera devenue familière.

Applications pratiques des fixations du regard et avantages

Vous pouvez profiter de chaque moment inoccupé de votre journée, mais chaque posture pendant votre séance peut s'accompagner d'une fixation du regard sur un point précis à l'intérieur du corps, sur le muscle en travail, par exemple.

Ces exercices, comme ceux d'attention ou de détente, doivent être utilisés systématiquement pendant un temps variable selon nos besoins. La maîtrise du réflexe palpébral (clignement des paupières) entraîne *ipso facto*, dans l'ordre psychique, des conséquences qui se traduisent par une meilleure concentration d'esprit et une grande résistance aux influences extérieures.

Ces fixations du regard des exercices 1, 2 et 5 stimulent certains centres cérébraux d'après ce que nous disent les yogis. On peut ainsi parvenir à éviter certains maux de tête, augmenter la mémoire et contrôler la divagation de nos pensées.

Après un entraînement sérieux, vous gagnerez d'être, en toute circonstance, plus fort, plus calme et plus maître de vous, au lieu d'être le jouet des événements - quelle que soit leur gravité - de vous trouver subjugué par la personnalité d'autrui.

Ces exercices sont un apprentissage de la liberté.

Vous êtes accoutumé à contrôler l'expression des traits de votre visage. La pratique des "drishtis" vous permettra d'acquérir une imperturbabilité qui, de superficielle au début, deviendra vite plus profonde et plus réelle.

Prenez l'habitude, en parlant, de fixer votre interlocuteur entre les deux yeux. Si vous voulez immanquablement le troubler, amusez-vous à fixer votre regard sur le sommet de son crâne. Cette façon de faire crée une gêne qui inquiète le vis-à-vis, n'en abusez pas !...

Le fait de modérer votre impulsivité et de surveiller vos expressions de physionomie ne vous rendra ni indifférent ni insensible à tout, mais, au contraire, plus attentif à votre être profond. Plus habile à canaliser vos impulsions désordonnées, vous deviendrez plus lucide dans vos jugements et plus apte à en tirer des conclusions sur le plan pratique.

Précautions

Rappelons que toute anomalie fonctionnelle de l'oeil peut contre-indiquer ces exercices. Consultez votre spécialiste avant. De toute façon, ils doivent être utilisés avec discernement, car ils agissent sur le système nerveux par les nerfs olfactifs et les nerfs optiques.

Certaines méthodes déconseillent la fixité du regard, mais parce que celle-ci est généralement "dans le vague", et correspond à une contraction de l'oeil.

Celle que nous conseillons est un "rassemblement"

sans effort. Un peu comme lorsque, pour saisir un bruit ténu, nous tendons l'oreille...

15

LES ASANAS
TROISIÈME SÉRIE

Parmi la variété quasi infinie des postures que nous ont léguées les yogis et leur tradition, nous avons choisi non seulement les postures classiques, mais d'autres considérées comme préparatoires, complémentaires ou suppléantes.

Dans ce chapitre, vous trouverez une autre série, de difficulté croissante, complétant celles que vous avez essayées de maîtriser.

Nos limitations articulaires étant variables suivant notre type morphologique, notre âge, etc., il est possible que vous trouviez certaines postures plus faciles que d'autres dans chaque série. Nous vous indiquerons, par la suite, exactement les postures de base ou leurs suppléantes éventuelles.

Troisième série

Comme les deux précédentes, elle commencera par le dosage respiratoire et les deux étirements entrecoupés, à chaque fois, par une phase de repos.

A18 - Posture du grand "geste" ou "sceau" (maha mudra)

Il faut croire que traduire avec précision un mot sanscrit est malaisé, car nous trouvons pour "mudra" les expressions de sceau, de fermeture, ou de geste, suivant les auteurs.

On peut sans crainte de se tromper adopter le sens de : geste, car c'est bien de cela qu'il s'agit. Toutefois, signalons que ce "geste" correspond à un exercice spécial hors de notre portée qui "ferme", donc scelle les neuf ouvertures du corps (comptez-les, il y en a bien neuf) ; mais nous n'en sommes pas à ce stade pour l'instant, nous nous contenterons des effets à notre portée, c'est-à-dire du geste et non des "ouvertures" à sceller.

1) Préparation

Asseyez-vous, les jambes allongées. Repliez la jambe gauche en plaçant le talon contre le périnée, la plante du pied allongée le long de la cuisse droite, les deux cuisses formant un angle de 90°.

Les bras allongés devant vous vers le sol, les doigts tendus, les pouces croisés, expirez.

2) Exécution

En inspirant, levez les bras au-dessus de la tête, les doigts allongés, les pouces croisés, redressez le dos, respirez trois fois dans cette attitude en étirant votre corps. En expirant, abaissez les bras et accrochez avec vos deux index le gros orteil du pied droit.

3) Maintien

Dès que vous avez solidement accroché votre orteil, redressez votre dos tandis que le menton s'abaisse contre le creux de la gorge. Restez dans cette position le temps d'une dizaine de respirations, ou de une à trois minutes maximum.

En expirant, penchez-vous en avant en tirant sur votre pied pour allonger tout le corps sur la jambe droite. Continuez à vous étirer à chaque expiration. Posez, successivement, votre front, puis le nez, le menton, sur la jambe.

Pendant le maintien, la respiration n'est pas arrêtée, à chaque expiration essayez de gagner un peu de terrain pendant trois à six respirations.

4) Fin

Après une dernière expiration, relevez-vous, bras levés, en position de départ, en inspirant. Abaissez les

A18 a

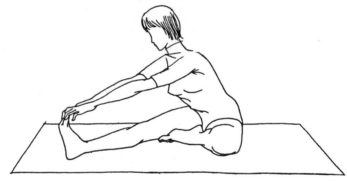

A18 b

A18 c

bras devant vous, en expirant, le dos restant toujours droit, et changez de jambe. Recommencez avec la jambe gauche allongée et détendez-vous sur le dos.

Concentration

Sur tout le long du dos en tirant celui-ci du coccyx à la nuque.

Respiration

Pendant tout le temps des deux phases, respirez comme vous en avez l'habitude.

Difficultés

Celles-ci proviennent surtout de l'étirement du genou. Si vous ne pouvez saisir votre orteil, placez vos doigts sous la cheville ou sous le mollet, l'essentiel de l'effet de l'attitude provient de l'étirement du dos, non du point d'attache des mains. Veillez soigneusement à corriger votre dos.

N'oubliez pas de creuser le ventre dans les deux phases de maintien, surtout dans la flexion avant où l'on a tendance à laisser la paroi abdominale se projeter en avant.

Même si votre flexion vers la jambe est minime, ne vous désolez pas. Vous arriverez à faire mieux ; aussi infime que soit cette flexion, elle est importante.

Avantages

- A en croire les traités hindous, cette posture a la réputation de "détruire la mort et beaucoup d'autres souffrances" (cette progression que nous respectons est pleine de saveur !).
- En outre, celui qui pratique maha mudra, toujours selon les mêmes traités traditionnels "surmontera la phtisie, la lèpre, les indigestions et toutes maladies de longue durée".
- Plus modestement, et peut-être plus vraisemblablement, cette posture tonifie les organes abdominaux. Il faut toujours la commencer en

fléchissant sur la jambe droite pour suivre le trajet normal de la digestion qui est ainsi accélérée et facilitée. Cette posture soulagerait les indigestions (cela fait la deuxième que nous rencontrons ayant cette faculté, ne faisons aucun commentaire, mais sourions à la pensée d'un yogi souffrant d'indigestion !).

● De plus, en raison sans doute de l'écartement de la région pelvienne, les hommes que leur prostate tracasse trouveront un soulagement en gardant assez longtemps cette posture.

● Et ·vous, Mesdames, vos glandes ne sont pas non plus oubliées, ce qui se conçoit pour la même raison de position des jambes.

Après cette posture, vous pouvez prendre, soit la posture renversée A8, soit, si vous le pouvez, la posture du corps entier A14, complémentaire de la posture du grand geste, ci-dessus.

Ensuite, pour compenser l'une ou l'autre de ces postures, prenez celle-ci :

A19 - Posture de la sauterelle (salabhasana)

Cette posture est bien nommée. En effet, si vous avez observé ces curieuses bestioles, plus sympathiques dans nos pays tempérés qu'en Afrique où elles sont un vrai fléau, vous constaterez une relative parenté avec l'allure générale d'une sauterelle.

1) Préparation

A plat ventre, les bras allongés le long du corps, le front reposant sur le sol, expirez.

2) Exécution

Le nez, la tête, la poitrine, les jambes et les bras à la fois aussi haut que possible.

Seul le ventre supporte tout le corps. Les muscles fessiers, les cuisses sont contractés.

3) Maintien

Restez dans cette attitude aussi longtemps que vous pouvez, en respirant comme d'habitude. De toute façon, vous ne resterez pas longtemps.

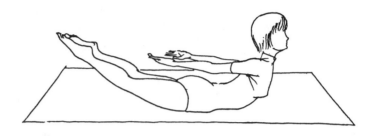

A19

4) Fin

Relâchez toutes tensions en reposant la joue droite, puis la gauche au sol, alternativement pendant quelques respirations normales.

Concentration

Sur toute la contraction des muscles arquant le corps, de la nuque aux talons.

Respiration

Comme d'habitude.

Difficultés

Au début, certes, vous ne lèverez pas très haut, mais l'important est le travail que cette posture implique, non son esthétique.

Avantages

● Voici encore une posture favorable à la digestion et qui atténue les troubles gastriques.

● Elle agit aussi sur toute la colonne vertébrale, des cervicales aux lombaires, par la contraction musculaire qu'elle implique.

● En passant, remarquons que cette posture, comme beaucoup d'autres, ne peut se prendre sans une contraction complète des muscles intéressés et, dans ce cas, on est très loin de ladite admirable décontraction des poses de yoga ; celle-ci ne se reflète d'abord que dans le visage qui, lui, doit toujours être sans aucune tension, mais on l'éprouve dans la détente qui la suit.

● Continuons l'énumération des avantages de cette posture : les reins, les glandes de la région sous-abdominale sont revigorés. Les personnes souffrant de pincements vertébraux y trouveront un soulagement par le renforcement musculaire de régions rachidiennes.

Il existe une autre variante plus connue de cette posture. Nous avons préféré celle-ci, aussi efficace et beaucoup moins dure et réunissant les bienfaits de deux postures : le cobra et la sauterelle.

Nota important

Ne croyez surtout pas que nous sous-estimons la valeur de ces exercices, parce que par moments nous soulignons certaines exagérations très orientales, ou vous invitons à sourire des curieuses difficultés de santé des yogis.

Ne demandons à ces exercices que ce qui nous intéresse et n'en attendons pas davantage. Le yogi va beaucoup plus loin, sur un plan qui nous est étranger et inaccessible.

A20 - Posture de l'arc (dhanurasana)

Ainsi nommée parce que les bras servent de corde pour tendre les jambes et le torse formant le bois d'un arc (dhanur).

1) Préparation

A plat ventre, le front reposant sur le sol, repliez les genoux pour saisir vos chevilles à pleine main.

2) Exécution

Expirez à fond et tirez vos jambes vers l'arrière. Elles font ainsi un jeu de levier soulevant le torse. Les bras sont tendus mais non fléchis. En poursuivant l'effort d'extension des pieds vers l'arrière et le haut, et selon votre souplesse dorsale, vous formez ainsi un arc tendu. Seul l'abdomen repose sur le sol. La tête est aussi renversée vers l'arrière que possible, les genoux écartés, les orteils se touchant.

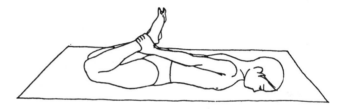

A20 a

3)Maintien

Resserrez les jambes et maintenez la pose en respirant aussi longtemps que possible, de quelques secondes à une minute. Les débutants ont intérêt, une fois la pose obtenue, à l'abandonner sans lâcher les mains et recommencer trois fois.

Effets renforcés. Pour augmenter l'action de la posture une fois celle-ci obtenue, balancez-vous d'avant en arrière et d'arrière en avant, puis de gauche à droite et de droite à gauche.

Ou bien : en expirant, roulez sur un côté complètement et en inspirant revenez sur le ventre et, en expirant, roulez sur l'autre côté.

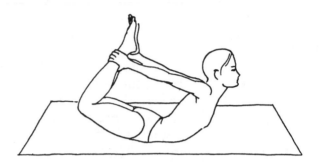

A20 b

4) Fin

Relâchez doucement votre tension, revenez à plat ventre. Reposez la joue droite puis la joue gauche alternativement en respirant normalement.

Concentration

Sur la colonne vertébrale.

Respiration

En raison de l'effort demandé, il est normal que le rythme soit accéléré, surtout au début ; essayez de respirer aussi calmement que possible, ne retenez pas le souffle.

Difficultés

Certaines personnes auront du mal à saisir les deux chevilles, même en se contorsionnant. Si vous êtes dans ce cas, contentez-vous, du moins au début, de saisir vos orteils ou même un seul pied à la fois et exécutez l'exercice alternativement une jambe après l'autre.

Rappelez-vous que de toute façon le torse ne s'élève pas par une contraction des muscles du dos, comme dans le cobra ou la sauterelle, mais par l'extension de la jambe ou des jambes formant levier.

Avantages

● Travail intense de la colonne vertébrale dans un sens inhabituel, car nous sommes bien plus souvent penché en avant qu'étiré en arrière. Entretien et récupération de la souplesse vertébrale. Tonification des organes abdominaux.

Cette posture complète et confirme les avantages de celle précédente.

A21 - La demi-posture de Matsyendra (ardha matsyendrasana)

Rappelez-vous que dans l'avant-propos sur les origines du yoga, nous vous disions qu'un poisson enchanté s'était emparé de la haute science du yoga (hatha vidyà : science), en écoutant le dieu Shiva. Or, matsyendra veut dire "seigneur des poissons". Nom ou surnom d'un Sage mentionné dans les traités antiques comme l'un des fondateurs de la Science : Vidya, du Soleil et de la Lune (Ha-Tha), dont nous étudions les bribes en notre possession.

Cette posture est donc l'une de celles qui nous viennent de ces âges révolus où l'homme semblait plus proche du ciel qu'aujourd'hui. Elle conclura presque l'ensemble des postures de base essentielle que nous offrons à votre étude.

Ce n'est qu'une demi- (ardha) posture, non parce que nous ne sommes pas dignes de la posture entière, mais parce que celle-ci est pratiquement irréalisable pour 90 %, sinon plus, de nos contemporains.

1) Préparation

Asseyez-vous, les jambes allongées, fléchissez le genou gauche vers l'extérieur du corps et à terre placez le talon gauche contre le périnée, fléchissez le genou droit et placez le pied à plat sur le sol de l'autre côté de la cuisse gauche (en vous aidant des mains à chaque fois). Le genou ainsi levé se trouve très près de l'aisselle gauche, le talon à la hauteur du genou au sol.

Tournez le haut du corps franchement à droite avec le haut du bras gauche repoussez le genou levé à fond, allongez le bras et saisissez fermement votre genou gauche ou le cou-de-pied droit avec la main. Le bras droit se glisse derrière le dos dirigé vers la hanche gauche.

2) Exécution

Votre bras gauche bloquant le genou de la sorte, inspirez et en expirant tournez la tête à droite comme si vous vouliez placer votre menton au-dessus de l'épaule droite.

3) Maintien

Gardez cette attitude pendant trois respirations, insistez sur la torsion à chaque expiration.

4) Fin

Après votre dernière expiration, en inspirant relâchez *doucement* la torsion, abandonnez la prise de votre main gauche et allongez les jambes, fléchissez la jambe droite, le talon contre le périnée, passez votre jambe gauche au-dessus du genou droit, bloquez votre position avec la main droite, glissez votre main gauche derrière le dos, tournez la tête à gauche et gardez cette attitude le même temps que la première. Lâchez doucement et étendez-vous sur le dos.

Concentration

Sur la torsion de l'épine dorsale et le ventre.

Difficultés

L'embonpoint en excès et la raideur des articulations ne favorisent pas cette posture ! S'il ne vous est pas possible de saisir le pied au sol ni le genou, posez votre main de "prise" sur le genou levé. L'essentiel étant d'assurer un blocage pour permettre la rotation complète du torse.

Les deux épaules doivent se trouver sur le même plan. Or, hélas ! Souvent l'une des épaules est plus haute que l'autre. Corrigez le défaut petit à petit.

Avantages.

● Cette demi-posture accentue, renforce les avantages de la posture de la spirale A5, dont nous vous avons dit qu'elle était une simplification de celle-ci.

● La posture entière ou complète, que vous pourriez regretter de ne pas connaître, si la demie vous semble ne pas comporter de difficultés majeures, consiste, au lieu de placer le talon contre le périnée, à le mettre *sur* la cuisse opposée contre le creux de l'aine et de continuer la suite décrite plus haut. Essayez si vous voulez et... félicitations si vous y arrivez. Mais elle n'est pas plus efficace, complèté, qu'en demi-posture.

Cette série comporte, sans compter les temps de repos en posture de repos total (A1), sept postures, à savoir :

A3   A4   A18

A14   A19   A20   A21

16

NOTRE PENSÉE
PEUT TOUT

Après le chapitre intitulé "Maîtrise de la pensée", ce titre paraîtra non seulement prétentieux, cette fois, mais nettement exagéré.

N'est-ce pas notre impression chaque fois que nous tombons sur des ouvrages prônant la suprématie de la pensée ?

Combien de livres, des plus simplistes aux plus profonds, n'ont-ils pas été écrits dans toutes les langues pour nous assurer de la puissance que nous détenons sans le savoir !

Certains, peut-être, nous ont convaincu de cette suprématie de l'esprit sur la matière, mais il ne suffit pas d'être convaincu...

Le plus souvent, il nous reste de leur lecture un amer regret de ne pouvoir disposer nous-même de cette puissance peut-être hypothétique...

Pourtant les exemples sont nombreux autour de nous, et même en nous, qui nous prouvent la valeur de cette affirmation ; ne serait-ce que le chemin parcouru par l'homme depuis qu'il est apparu sur terre jusqu'à nos jours.

C'est, évidemment, la pensée de l'homme qui l'a mené de l'âge de la pierre à l'âge des voyages interplanétaires.

Les moyens de transport terrestres sont nés de l'obsession, du besoin irrésistible que nous avons de reculer toujours plus loin les limites de notre univers.

La voiture étant inventée, cette idée fixe se trahit encore par cette fausse supériorité que nous donne la griserie de la vitesse, aux funestes conséquences !

Dans le domaine aérien, depuis la légende d'Icare, l'idée fixe de voler a conduit l'homme à réaliser l'impossible.

Les idées les plus audacieuses, si elles sont appuyées par une énergie farouche, ont toutes les chances de se réaliser.

Cela est sans doute vrai, pensera le sceptique. Mais, pour en revenir à ma chétive personne, comment me servir de ma propre pensée dont la fluidité, le manque de consistance fait une arme bien peu efficace !

En empruntant une bien jolie image à une doctrine qui tient la domination de la pensée pour un procédé d'évolution, on peut effectivement dire que la pensée est "quelque chose de rond, glissant et lisse, qui roule".

Même si cette image n'est pas tout à fait appropriée, elle résume la difficulté. Notre pensée n'a pas la force de percer la carapace des obstacles extérieurs et intérieurs que nous fournit généreusement la vie ; que ceux-ci s'appellent la société, le destin, ou nos propres imperfections. Les exemples aussi exaltants qu'ils soient ne nous semblent jamais correspondre à notre cas particulier.

Nous ne savons pas rassembler notre pensée en un faisceau mince et dur qui, orienté suffisamment longtemps sur le but fixé, en dissoudra le revêtement protecteur.

Cela nous ramène aux degrés déjà examinés : nous nous préparons par le rassemblement de la pensée (5e), et la fixation de celle-ci (6e), à la focalisation de la méditation (dhyana) (7e).

Quel est donc celui qui a dit : "Je crains l'homme d'un seul livre" ? Cette mise en garde étrange résulte de la force que possèderait un individu orienté par une seule pensée. Cette force le rend étranger à toute sollicitation autre que son but. Il est en quelque sorte "aliéné", il appartient tout entier à un autre, à son idée directrice.

On dit des yogis mystiques qu'ils sont "fous de Dieu", ce qui confirme cet état de concentration extrême. La recherche de la maîtrise de la pensée est si importante que le 7e degré du yoga, objet de ce chapitre, constitue à lui seul une méthode complète.

Rappelez-vous que "dhyana" est non seulement le 7e degré du hatha yoga, mais aussi le 3e des quatre principaux yoga, celui qui est à l'origine de doctrines chinoises et japonaises (chap. 1).

Qu'est-ce que dhyana ? Selon les autres, on traduit dhyana par : contemplation ou méditation. L'un ou l'autre vocable ont des significations différentes selon les personnes qui les emploient. Il peut même se trouver que certains s'en effarouchent.

A plus forte raison si l'on y ajoute des précisions telles que : se perdre, s'abîmer dans la contemplation ou la méditation, comme le yogi mystique...

En quoi cela peut-il nous concerner, nous qui souhaitons au contraire nous retrouver et nous affirmer ?

Encore faudrait-il savoir ce qu'il y a lieu de perdre et de trouver[1]. Pour le moment la question n'est pas là, aussi avant de vous laisser emporter par un enthousiasme de courte durée ou vous rétracter

---

1   A ce sujet, se reporter à Yoga sans Postures par Ph. de Méric, Édit. M.C.L.

peureusement, réfléchissons ensemble et cherchons à comprendre.

Le Larousse nous renseigne : la méditation est "profonde réflexion... oraison mentale..." Si nous en croyons le sens du verbe latin original, méditer veut dire "s'exercer". En outre, si l'on écoute ce qu'un latiniste nous a suggéré, sans garantie académique, on pourrait admettre que le verbe méditer dérive de deux mots latins signifiant "rester au milieu de..."

Voilà, n'est-ce pas, qui enlève à ce terme son aspect rebutant et nous le rend plus abordable, puisqu'il ne s'agit que de "s'exercer" d'une certaine façon ou de "rester au milieu"... de nous rassembler plutôt que de nous disperser.

Soit, mais alors, comment franchir ce degré, comment ouvrir cette 7e porte ?

Nous ne pouvons l'ouvrir pour vous, mais plutôt vous aider à en trouver la clef, cachée actuellement à vos yeux par vos idées fausses, vos hésitations, vos craintes.

La suggestion, clef de la méditation

La suggestion ? Que voilà une clef bien rouillée et usée, pensez-vous avec une moue de dépit.

Ne croyez pas cela ! Sans la suggestion, aucune des connaissances que nous avons n'aurait pu nous être inculquée. Un enfant ne se développe que par les perpétuelles sollicitations de son entourage ; par la suite, nos amis, notre ambiance, nos lectures, etc., nous forment autant que nos sensations intérieures, nos pensées.

Nous ne vous apprendrons rien en vous rappelant le rôle de la publicité sous toutes ses formes qui nous donne à penser ce dont nous ne nous serions jamais avisés, et acheter l'objet dont nous n'avons pas besoin, ou participer à l'événement qui ne nous concerne en rien. La publicité oriente notre pensée et notre comportement.

Quant à la suggestion personnelle, ou autosuggestion, elle peut nous construire, comme nous détruire. C'est elle qui va nous aider à utiliser la puissance qui est en nous. Un grand Sage hindou, Vivekananda, disait sans ambiguïté : "Le corps est ce que la pensée en fait."

Les textes sacrés hindous affirment : "Ce qu'un homme au coeur pur désire en son esprit et quel que soit ce qu'il désire, il peut l'obtenir."

Ces deux affirmations positives se traduisent par deux règles, l'une répondant à notre architecture organique, l'autre à notre structure mentale.

1) Toute concentration de la pensée, toute fixation de conscience sur un point donné du corps, y détermine un influx nerveux tonifiant ou régularisant.

C'est, en termes occidentaux, ce que les yogis affirment en disant : "Guider sa conscience vers une partie du corps y provoque une libération d'énergie (prana) qui excitera ou ralentira les échanges circulatoires et nerveux à cet endroit" ;

2) Toute création, volontaire ou non, d'images mentales, toute attitude mentale positive ou négative colore, féconde l'ambiance dans laquelle nous vivons et suscite les événements correspondants.

Depuis toujours, la sagesse populaire prétend que "la chance attire la chance", qu'un malheur ne vient jamais seul", etc., et les psychanalystes s'accordent à reconnaître l'intériorité de la fatalité individuelle, c'est-à-dire que notre destin personnel est la traduction objective ou, si vous préférez, le reflet, la conséquence de notre attitude mentale quotidienne.

En écho lointain, les yogis proclament : "Sème un acte, tu récolteras une habitude ; sème une habitude, tu récolteras un caractère ; sème un caractère, tu récolteras une destinée."

La pensée positive ou négative agit comme un électro-aimant qui attire les influx vibratoires de toute nature. En conséquence, espérer ou redouter une quelconque éventualité, c'est favoriser la formation de circonstances favorables ou défavorables dont nous bénéficierons ou dont nous pâtirons.

Tous les auteurs qui ont traité de culture humaine sont unanimes sur ce point ; chaque fois que nous entretenons des pensées de joie, de sérénité, de succès, nous faisons rayonner autour de nous et en nous la joie, la sérénité et le succès.

Par malheur, le contraire est également vrai et, si nous nous appesantissons sur nos déboires, nous émettons des pensées-forces négatives, génératrices de catastrophes.

Comment nous servir de cette puissance ?

Votre entraînement a déjà commencé, à votre insu, par les respirations, postures et exercices divers déjà proposés.

Il vous appartient de le poursuivre, de l'approfondir à chaque instant de votre vie, en faisant table rase des pensées négatives, en les remplaçant par des pensées positives, de force et d'espoir, même et surtout quand tout lâche autour de nous et en nous.

Cependant, malgré votre vigilance, nous nous surprenons bien souvent à retomber dans nos ornières mentales. Aussi est-il nécessaire de nous ménager des instants pendant lesquels nous pourrions nous ressaisir, nous reprendre en main.

Telle sera votre "méditation".

Or, celle-ci se traduit par une attitude physique spéciale favorisant l'attitude mentale recherchée.

Comme les concentrations oculaires du chapitre 14 aident la concentration mentale, une attitude recueillie, stable, facilitera le rassemblement de nos forces.

Quelle attitude prendre ? N'importe laquelle pourvu qu'elle réponde à la définition que les yogis donnent du mot "asana", c'est-à-dire, nous vous le rappelons, une position qui nous permette de "rester immobile longtemps sans effort".

Donc : assis, à genoux, debout ou couché.

Vous connaissez la posture couchée du "repos total" (A1), c'est évidement celle qui vous a offert le moins de difficultés et vous pouvez vous en servir. Cependant, il est préférable de vous exercer à d'autres façons de vous tenir.

Vous connaissez une posture assise, la posture aisée (A2) et la posture à genoux (A10). De cette dernière, nous ne parlerons plus, car elle n'a pas d'autre amélioration ou développement. Si elle vous est devenue familière, n'hésitez pas à vous en servir.

Quant aux postures assises, leur variété dépend de la position des jambes et ce n'est pas ce qui les rend plus faciles. Nous allons essayer de trouver celle qui peut vous convenir et répondre aux exigences d'un asana.

Commençons par la plus difficile.

A22 - La posture du lotus (padmasana) A propos de la posture du poisson, nous vous avons dit que le lotus était une plante aquatique orientale, variété de nénuphar blanc. Cette fleur est un symbole sacré de l'hindouisme comme de l'ancienne Egypte. Peut-être, si le yoga était né en Occident, aurions-nous appelé cette attitude posture du lis ? Ce nom désignant ainsi le nénuphar des étangs.

Symbole de pureté, par la blancheur de la fleur de

lotus, cette posture impose à nos articulations, sinon le retour à "l'innocence" de nos jeunes années, tout au moins une souplesse articulaire que nous avons, pour la plupart d'entre nous, perdue depuis longtemps.

Elle se pare de toutes les vertus puisque, d'après les traités de yoga, elle guérit toutes les maladies et tous les empoisonnements. Elle aide à vaincre la paresse, le sommeil, les faiblesses mentales, éveille l'énergie pranique enfermée en nous, mène à la Connaissance, etc.

La première fois qu'ouvrant un livre sur le yoga nous avons tenté de nous croiser les jambes selon la description donnée : "Les deux pieds placés la plante en l'air sur les deux cuisses, telle est la padmasana", nous vînmes vite à nous demander si, par suite d'un vice de conformation particulier aux Occidentaux, soit d'une carence dans la description de la posture, nous parviendrions jamais à un résultat !

Beaucoup de nos contemporains sont et resteront incapables d'obtenir la souplesse particulière que cette posture exige. Souplesse qui n'est pas du tout l'apanage des Indiens, nous en avons connus qui étaient aussi maladroits que nous !

Exception faite de quelques individus qui par grâce d'état articulaire peuvent d'emblée croiser ainsi les jambes, il en est d'autres qui y parviennent cependant en assouplissant les trois points clefs de cette posture : cheville, genoux, hanches. C'est ce que nous vous souhaitons.

1) Préparation

a) Assis, le buste droit, les épaules tombant naturellement, la colonne vertébrale aussi droite que possible, étirez la poitrine vers le haut. Les jambes allongées sont serrées l'une contre l'autre, la pointe des pieds tendue.

En vous aidant des mains, repliez la jambe gauche. Placez la plante du pied contre la cuisse droite, le talon le plus près possible du périnée (région comprise entre l'anus et les parties génitales), le genou collé au sol. Restez quelques instants dans cette position en respirant rythmiquement, les mains posées sur les genoux.

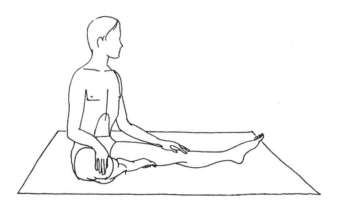

A22a

Penchez-vous en avant en expirant sur la jambe allongée, en essayant d'atteindre votre pied avec les mains. Revenez en inspirant. Recommencez trois fois de suite.

Puis revenez, les jambes étendues et jointes. Recommencez, mais en repliant cette fois la jambe droite.

b) En vous aidant des mains, repliez la jambe gauche à l'extérieur du corps de façon à amener le mollet contre la cuisse et le pied contre la hanche gauche, l'autre jambe demeurant bien allongée.

Restez quelques secondes dans cette position, puis penchez-vous en avant en expirant sur la jambe tendue, en essayant d'atteindre votre pied avec vos mains. Revenez en inspirant et recommencez trois fois avec la jambe droite .

A22 b

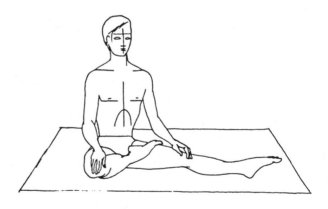

A22 c

c) Après ces deux attitudes préparatoires, en vous aidant des mains, repliez la jambe gauche et placez le pied sur la cuisse droite, le plus haut possible, le talon contre le pli de l'aine, près du nombril, la plante du pied tournée vers le ciel. Exécutez aussi trois flexions en avant, sur chaque jambe.

Nota : Voici les trois phases préparatoires. Vous vous rendez compte par expérience qu'elles sont indispensables. Vous ne pouvez passer à la phase d'exécution proprement dite que si chacune de ces phases n'offre pour vous aucune difficulté, ni d'un côté, ni de l'autre.

A ce sujet, *ne vous inquiétez pas d'une raideur* plus prononcée d'un côté que de l'autre. Vous n'êtes pas une exception, du moment que vous n'êtes pas ambidextre.

Cette remarque est valable pour toutes les postures bilatérales.

2) Exécution

Après avoir pris et maîtrisé les trois préparatoires ci-dessus, placez votre pied gauche sur la cuisse droite (préparation 3). Penchez-vous un peu en arrière pour faciliter le repliement de la jambe droite et placez le pied droit sur la cuisse opposée, le talon à côté du nombril.

Les deux talons sont ainsi de chaque côté du nombril.

3) Maintien

Redressez le torse de la base des reins à la nuque, tout le dos droit. Décontractez les bras, les épaules, les mains reposent sur les genoux. lesquels adhèrent au sol pour que l'équilibre soit parfait.

A22 d

Difficultés

Est-il besoin de les énumérer ?

Vous les connaissez parfaitement. Il n'est que de les surmonter, c'est-à-dire progressivement de pouvoir poser les genoux au sol dans les postures préparatoires et dans la 2e d'avoir les deux fesses au sol. Ne pas être obligé de vous pencher d'un côté pour compenser. Insistez doucement, longuement, afin d'allonger, d'assouplir les raideurs des tendons et des articulations.

Ces exercices, même s'ils ne doivent pas vous conduire à la posture finale, sont un excellent entretien par eux-mêmes.

A22 e

Précautions

Quant à la posture elle-même, une fois que vous y serez parvenu, gardez-la progressivement sans aucune contrainte excessive.

Elle offre un risque, celui de distendre les ligaments du genou et de faire glisser le ménisque, ce qui est fâcheux. Surveillez toute douleur qui vous semblerait anormale dans le genou et, dans ce cas, interrompez et abandonnez la posture quelque temps.

Ne reprenez jamais que très progressivement votre activité musculaire après avoir gardé cette posture, plus ou moins longtemps.

De toute façon, en raison de l'étirement et de la torsion des ligaments des genoux et des chevilles que provoque cette posture - même si elle vous est devenue confortable et surtout en raison de cette facilité -, si vous la gardez quelques minutes, prenez garde :

1) Dégagez lentement vos pieds ; ne vous relevez pas trop vivement.

2) Ne courez ni ne marchez à vive allure. Permettez à

vos articulations de se réhabituer à l'activité.

Ces indications ne doivent pas vous inquiéter ; suivez ces conseils, vous éviterez de vous tordre genoux ou chevilles.

La circulation du sang ayant été ralentie dans les jambes, laissez-lui le temps de reprendre un transit normal. Vous éviterez la désagréable sensation de fourmis et sa conséquence, la faiblesse des chevilles et des genoux.

Avantages

- Nous vous avons cité ce que promettait la tradition ancienne. Nous sommes plus modestes de nos jours et nous nous contenterons, dès que la posture est devenue familière, de la considérer comme celle qui permet d'être détendu le plus aisément en posture assise, sans être affaissé. C'est l'un des asanas les plus courants pour la pratique des respirations.

- Elle a la réputation de tonifier les organes abdominaux par la circulation sanguine activée dans les régions lombaire, pelviennes, rachidiennes, et ralentie dans les jambes.

- La pensée reste en éveil plus aisément que dans la posture du repos total. Nous pouvons, de ce fait, nous exercer plus commodément à fixer notre attention, à nous rassembler, à nous emplir d'énergie, en respirant, ou en fixant notre attention sur le point d'où partent l'inspiration et l'expiration, c'est-à-dire la région abdominale.

A23 - Posture de réalisation (siddahasana)

Cette dénomination est celle de A. Danielou, et correspond bien au but de la posture comme à son nom hindou, car siddha désigne le Sage parvenu à réaliser son idéal et maître de ses pouvoirs.

1) Préparation   Suivez exactement les phases préparatoires de la posture du lotus. Bien que moins difficile que celle-ci, la souplesse des genoux et des hanches est aussi indispensable.

2) Exécution   Placez le pied droit le plus près possible du corps, le talon contre le périnée. Le pied doit être allongé, plante en haut, la pointe du pied se trouvant sous la cuisse gauche. Les fesses reposent à terre.

Saisissez votre pied gauche à deux mains et ramenez vers vous la jambe gauche repliée. Placez votre pied gauche, plante vers le ciel, entre la cuisse et le mollet de la jambe droite.

Dans la majorité des cas, les orteils reposent sur la cuisse. La position dépend de la conformation et de la souplesse de chacun.

Ce qu'il faut avant tout, c'est que le corps soit établi sur une base ferme.

Redressez le tronc, maintenant la tête droite. Décontractez vos bras. Posez les mains, paumes sur les genoux, les doigts détendus. Les deux genoux doivent adhérer au sol.

A23 b

Nota : Au début de votre entraînement, et si vous éprouvez des difficultés à prendre la posture, asseyez-vous sur un coussin plat et dur ou sur le bord d'une couverture pliée : seules les fesses se trouveront ainsi légèrement surélevées par rapport aux jambes. La tension des ligaments articulaires s'en trouvera diminuée.

Ce conseil est valable pour le lotus aussi.

Nous passons sur les difficultés, légèrement moindres que celles de la posture du lotus. Quant aux avantages, ils sont identiques.

Cette posture semble même être préférée par certains maîtres à celle du lotus. C'est affaire de convenance.

De plus, on ne formule pas les mêmes restrictions à son sujet que pour le lotus, en ce qui concerne l'étirement ligamentaire. Elle peut, donc, être gardée plus longtemps.

A24 - Posture de la prospérité (svastiaksana) Ainsi nommée parce que la svastika, ou croix gammée, de fâcheuse mémoire; a de tout temps été un signe de prospérité en Inde et au Tibet.

1) Préparation Pratiquez toujours les mêmes phases préparatoires.

2) Exécution Placez le pied gauche le plus près possible du corps, le talon contre le périnée et les orteils dirigés vers le haut et contre la cuisse droite.

Saisissez votre pied droit à deux mains et ramenez vers vous la jambe droite repliée. Insérez les orteils du pied droit entre la cuisse et le mollet de la jambe gauche.

3) Maintien Redressez le tronc, maintenant la tête droite. Décontractez vos bras. Posez les mains, paumes sur les genoux, les doigts détendus. Les deux genoux doivent adhérer au sol, ainsi que les fesses.

Cette posture intermédiaire ente les deux premières n'est pas à choisir ou à rejeter plus qu'une autre. Nous vous la donnons pour vous permettre un choix de commodité.

Chacune de ces postures a été décrite en fléchissant une jambe. Là non plus il n'y a pas de préférence. Trouvez la jambe qui vous gênera le moins, mais de toute manière travaillez chaque posture alternativement.

Si aucune de ces attitudes, même la posture aisée (A2), ni la posture à genoux (A10), ne vous sont confortables, désolez-vous peut-être, mais ne vous désespérez pas ! Et contentez-vous, alors, de vous asseoir jambes croisées, le plus simplement du monde, sur un coussin dur, un livre, un support quelconque, voire un tabouret bas, pour pratiquer votre exercice de rassemblement de la pensée et vos respirations.

A24

Toute esthétique mise à part, la seule chose importante est de trouver une position aussi commode que possible, avec le dos très droit.

Il va de soi que si l'une des demi-postures préparatoires A22, vous convient, vous la prendrez en attendant mieux.

AIDE-MÉMOIRE DES ASANAS CITÉS :

17

LES ASANAS
QUATRIÈME SÉRIE

Jusqu'à présent vous seriez en droit de penser que toutes les postures se pratiquent au ras du sol !

A vrai dire, c'est exact en ce qui concerne la plupart des postures fondamentales servant de base aux variantes et aux complications ou approfondissements.

Car, une posture fondamentale peut toujours se compliquer pour en accentuer les effets, comme elle peut se simplifier pour la rendre plus accessible.

L'exemple le plus frappant nous est fourni par la posture du seigneur des poissons (matsyendra) A21, laquelle n'est déjà qu'une demi-posture remplacée par sa simplification, la posture de la spirale (A5). L'une et l'autre se complètent éventuellement par diverses positions des bras, accentuant la torsion vertébrale et le massage viscéral.

Ces aménagements particuliers montrent bien qu'il s'agit moins de *réussir une posture*, que de mobiliser nos articulations, masser nos organes par des torsions et étirements rendus accessibles à chacun de nous selon nos possibilités.

Cette constatation nous permet d'affirmer avec certitude, qu'exception faite de positions plaçant la colonne vertébrale dans un axe particulier, toutes les postures, même insuffisamment réussies, gardent leur efficacité par le massage particulier qu'elles imposent.

Cela signifie clairement que si vous ne pouvez de prime abord réussir une attitude, vous ne devez pas pour autant la négliger, mais doser votre effort sans complaisance ni exigence et vous obtiendrez toujours un résultat, quel que soit votre handicap.

Cela fut le cas pour un de nos élèves, âgé de 80 ans, qui nous a confirmé les bienfaits retirés de cette éducation commencée à 70 ans, et d'un autre de 69 ans parvenu à un équilibre de santé inégalé malgré les imperfections des attitudes, paraissant dans les photographies qu'il nous avait envoyées.

Ceci dit pour rassurer et encourager les hésitants et les timorés !

Quatrième série

Dans la quatrième série que voici, nous aborderons quelques postures debout.

Vous remarquerez aisément que certaines ne sont que la répétition de celles déjà rencontrées, avec la différence d'être exécutées sur les deux pieds, au lieu d'être assises.

Commençons par la plus simple qui sera aussi celle que nous utiliserons le plus souvent dans notre vie active.

A25 - La posture debout (tadasana)

Précisons que *tada* ne veut pas dire debout, mais : montagne, comme le mot *parva* déjà rencontré lors de l'exercice assis A17.

Il peut paraître étrange qu'on soit obligé de décrire une attitude qui, pour les êtres humains, devrait aller de soi !

Pourtant, savons-nous vraiment nous tenir debout ?

Il s'agit de rester en équilibre sur un axe perpendiculaire passant par le sommet du crâne et tombant entre les pieds. Compte tenu de nos déviations vertébrales, congénitales ou acquises, notre attitude debout devrait être la conséquence de la recherche et du maintien de cet équilibre statique et non d'une tension corrective.

Toutefois, pour obtenir cette attitude naturelle, il nous faut d'abord corriger nos tendances défectueuses, l'étude de cette posture nous y aidera.

1) Préparation

Tenez-vous debout, les pieds réunis parallèlement et séparés de 2 cm environ. Tendez les genoux légèrement : *contractez* tout le corps des talons à la nuque. *Serrez* les muscles fessiers, ce qui basculera vos hanches vers l'avant et atténuera votre ensellure lombaire. Le torse est bombé, le ventre serré légèrement, les bras allongés et tendus le long du corps.

2) Exécution

a) Portez tout le poids du corps sur les orteils sans soulever les talons, comme si vous résistiez à une chute. Restez ainsi trois respirations contrôlées ;

b) Ensuite portez tout le poids du corps sur les talons sans soulever les orteils ; restez trois respirations contrôlées.

3) Maintien

Ces deux positions exécutées, revenez à une station verticale tout en restant tendu, et répartissez également le poids du corps sur les talons et les orteils, pas plus sur un pied que sur l'autre, mais plus sur les bords externes des pieds que sur les bords internes.

4) Fin et détente debout

Nous avons vu que vous deviez savoir vous détendre dans n'importe qu'elle position : couché, à genoux, assis. La position debout peut aussi être une attitude de détente.

Ce que nous venons de vous décrire ci-dessus est une posture de travail, donc tendue (HA +) elle doit être suivie d'une attitude de détente (THA -) qui vous servira lors de multiples occasions, attentes ou cérémonies en plus de la décontraction après une posture debout.

Les pieds sont alors légèrement séparés, à peu près de la largeur des épaules, toujours parallèles l'un à l'autre, tout le corps est cette fois décontracté *intérieurement* sans que rien apparemment ne manifeste un relâchement.

Le poids du corps est également réparti sur les deux pieds, pas plus sur l'un que sur l'autre, le ventre est normalement placé, non creusé ; le torse non bombé, les bras et les épaules détendus, la tête droite.

La respiration redevient naturelle, donc abdominale.

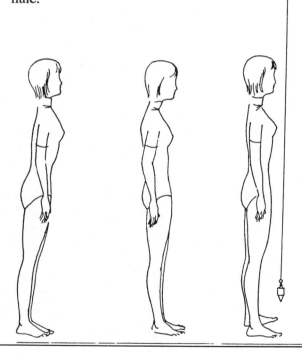

Concentration

Grandissez-vous intérieurement des reins à la nuque, comme si vous vouliez repousser quelque chose avec le sommet du crâne sans lever le menton.

Respiration

Ample et régulière en respiration contrôlée pendant les phases d'exécution et de maintien. Naturelle et abdominale en fin de posture et en détente.

Difficultés

Elles sont bénignes, mais vous avez cependant intérêt à vous contrôler devant une glace.

Avantages

- Reconnaissons que nous ne savons pas nous tenir debout. Notre équilibre est toujours instable, oscillant d'un pied sur l'autre, d'une hanche à l'autre, favorisant ou soulignant nos déviations vertébrales par la répétition d'attitudes vicieuses.

- Nous avons là un moyen simple de nous corriger, profitez-en. Toutefois, ce serait trop beau si c'était si facile, aussi comme il n'est rien de tel que d'exiger le plus pour obtenir le moins, passons maintenant à une attitude d'équilibre proprement dite, qui nous fera mieux apprécier la position sur nos deux pieds.

A26 - Posture de l'arbre (vrksana)

Aussi difficile à prononcer en sanscrit qu'à réaliser au début, elle allie l'équilibre à la souplesse en vous faisant retrouver les trois phases préparatoires à la posture assise du lotus (A22).

1) Préparation et exécution

Phase 1. Debout, très droit, placez à l'aide de vos mains, le pied droit sur la cuisse gauche, le talon à la hauteur de la jointure des cuisses, la plante du pied contre la cuisse.

Par un effort des muscles de la cuisse, portez le genou droit le plus en arrière possible. Les deux genoux doivent être sur le même plan pour éviter que le pied ne glisse.

Assurez bien votre équilibre. Joignez les mains, paume contre paume, doigts allongés devant la poitrine légèrement bombée, le ventre rentré, les épaules tombant naturellement sans contraction, le visage calme, le corps droit non hanché, tout le poids reposant sur la jambe tendue.

Gardez cette posture pendant plusieurs respirations contrôlées.

A26 a

Phase 2. En inspirant, élevez lentement les bras au-dessus de la tête, mains jointes, paume contre paume. Etirez les bras le plus haut possible. Gardez quelques instants la position en respirations contrôlées.

A26 b

Phase 3. En expirant, sans perdre votre équilibre, fléchissez le corps en avant, bras tendus et parallèles, jusqu'à placer les mains à terre de chaque côté du pied. Continuez de manière à toucher votre genou avec le front. En inspirant, revenez à la position de départ.

Changez de pied et recommencez le cycle complet.

2) Après avoir terminé   Reposez-vous quelques instants en posture debout et repliez votre genou droit, saisissez votre pied par les orteils. Levez le bras gauche au-dessus de la tête. Gardez cette posture quelques respirations. Changez de pied et recommencez avec le côté gauche.

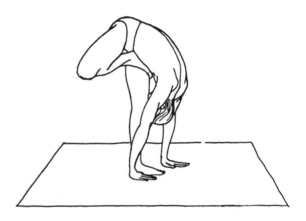

A26 c

Bien que vous puissiez tenter de vous pencher en avant, comme dans l'exercice précédent et poser le bras levé sur le sol en expirant, cette dernière chance peut être supprimée du moins au début tant que votre équilibre ne sera pas stable.

3) Après un temps de repos en posture debout Recommencez, mais cette fois placez votre pied sur le devant de la cuisse dans le creux de l'aine opposée et refaite la séquence complète : A26.

4) Fin Ces séries terminées, étendez-vous sur le dos, décontractez-vous quelques instants.

Concentration Est-il besoin de vous préciser que le maintien de l'équilibre doit être votre principale préoccupation, autant que l'esthétique de l'attitude ?

A26 d

Respiration   Respiration contrôlée.

Difficultés   A la difficulté de l'équilibre, s'ajoute la raideur des articulations. Evitez de vous livrer à cet exercice à proximité d'objets fragiles ! Au début tenez-vous près d'un mur, cela vous donnera confiance.

Veillez bien à ne pas vous déhancher, ni vous

cambrer.

Si votre souplesse perdue ne vous permet pas de vous pencher en avant complètement, esquissez simplement la flexion.

Avantages

- En plus de la souplesse qu'on peut très bien n'avoir jamais possédée, le véritable signe de la jeunesse du corps c'est l'équilibre, le premier des sens que détruit le vieillissement.
- Cette série répond remarquablement à l'entretien de cette faculté et prépare aux positions assises.
- En général, les phases statiques sont plus faciles à réaliser dans la matinée que le soir, le système nerveux n'étant pas encore épuisé par nos occupations et préoccupations. Ceci est à l'inverse des exercices d'assouplissement qui, en revanche, sont plus aisés le soir.

Utilisation

Ces séries, dont la durée dépend de votre habileté, de votre temps, peuvent remplacer la série préparatoire du lotus (A22).

Après quelques secondes de repos sur le dos, que d'ailleurs si vous le désirez vous pouvez prendre debout dans la phase de détente, de la posture précédente (A25), reprenez une attitude droite en légère tension, les pieds réunis et passez à la posture suivante.

A27 - Première posture du triangle (trikonasana)

Comme son nom l'indique, *tri* : trois, *Kona* : angle, le corps prend une attitude angulaire.

Il existe une grande variété de ces positions ayant toutes le même objet : préparer les jambes et le dos aux autres postures, voire les suppléer par des effets identiques.

1 Préparation   Debout, écartez les jambes de la largeur de vos épaules. En inspirant, levez les bras en croix à la hauteur des épaules, paumes des mains face au sol.

A27

2) Exécution   Expirez tout en ployant le buste en avant et placez la main gauche à plat sur le sol, entre les deux pieds, les doigts dirigés vers l'avant. Les jambes sont tenues. Le bras gauche levé, la paume tournée vers l'extérieur. Regardez votre main levée en tournant la tête à gauche.

3) Maintien   Gardez cette attitude plusieurs respirations, en insistant sur la torsion du tronc limitée par l'appui de la main au sol.

4) Fin   Après une dernière expiration, en inspirant redressez-vous bras en croix et recommencez avec la main droite placée sur le sol. Restez le même temps dans cette position, revenez à la position droite et reposez-vous debout.

Concentration

Sur tout le dos en torsion et l'étirement des jambes.

Respiration

Calme et ample en respiration contrôlée. Le ventre serré et non gonflé.

Difficultés

Le manque de souplesse vous fait plier les jambes en vous penchant en avant, écartez davantage les pieds pour poser la main à plat sur le sol, tout en gardant les genoux tendus.

Corrigez la position du bras levé à l'aide d'une glace, éventuellement.

Avantages

- Comme presque toutes les postures similaires, ces attitudes ont pour effet de débloquer les vertèbres. Il est courant au moment de la torsion du dos d'entendre "craquer" une ou plusieurs vertèbres, ne vous en inquiétez pas, c'est un micro-glissement vertébrale qui se replace.
- Par ailleurs, la torsion masse les intestins, améliorant les fonctions digestives.
- Les postures en triangle ont en outre pour les yogis la réputation d'accélérer la convalescence après une maladie contagieuse en favorisant l'élimination des toxines.

A28 - Deuxième posture du triangle

Plus accentuée que la première, elle la complète en approfondissant les effets.

1) Préparation

Ecartez franchement les jambes, les deux pieds

parallèles l'un à l'autre. Les bras en croix, paumes tournées vers le sol. Pivotez les orteils du pied droit vers la droite. Inspirez.

2) Exécution

En expirant, penchez-vous latéralement sur la jambe droite et posez votre main à plat sur le sol parallèlement au pied vers le petit orteil. Le bras gauche dans le prolongement de l'épaule, la tête regardant la main levée.

A28

3) Maintien

Gardez cette attitude plusieurs respirations.

4) Fin

Après une dernière expiration, en inspirant revenez à votre position les bras en croix en ramenant votre pied droit parallèle au pied gauche. Faites pivoter vos orteils du pied gauche vers la jambe gauche et placez votre main gauche au sol ; restez dans la position le même laps de temps. Relevez-vous et reposez-vous sur le dos.

Concentration et **respiration** sans changement.

Difficultés

Un peu plus grandes que dans la première posture en raison de la position de la main. si réellement il vous est impossible de poser celle-ci au sol sans fléchir le genou, contentez-vous de la placer sur le cou-de-pied ou plus haut, mais à chaque expiration essayez de gagner un peu de terrain.

Avantages

● Identiques à la première posture.

En plus, à la première flexion sur un côté, vous entendrez un craquement semblant provenir de l'intérieur de la cuisse et de la hanche. Il n'est pas plus inquiétant que les autres, mais intéresse la partie sacro-iliaque. Ce craquement est généralement bilatéral.

Quelques-une des postures décrites depuis le début de ces séries ont pour avantages, non précisés, de faire travailler la sangle abdominale. Pour compléter ce travail, nous vous en indiquons une ci-dessous, particulièrement efficace.

A29 - Posture stimulante et tonifiante

Cette attitude porte sûrement un nom sanscrit. Hélas ! Le hatha yogi de qui nous la tenons ne nous l'a pas précisé et nous n'avons trouvé cette posture mentionnée dans aucun ouvrage. Nous nous passerons donc de cette précision, au demeurant sans importance pour sa description et qui ne modifiera pas sa valeur :

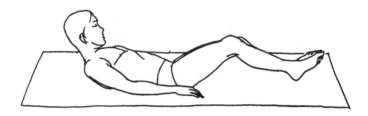

A29 a

1) Préparation

Etendu sur le dos, les bras allongés le long du corps, en une attitude semi-rigide préparatoire aux postures. Respirez en respiration contrôlée trois fois, profondément.

2) Exécution. Attitude A29a (tonifiante)

Puis, en expirant, soulevez la tête, les épaules et les jambes en fléchissant légèrement les genoux. Les talons se trouvent à 10 cm environ du sol. Tout le corps repose sur la base des reins et une partie du dos. Les bras restent souples et détendus ne servant pas d'appui. Tout l'effort est localisé dans la région abdominale dont les muscles sont contractés à fond.

3) Maintien

Gardez cette attitude le plus longtemps que vous pourrez, de quelques secondes à une minute, cela dépendra de votre tonicité musculaire.

4) Fin

Revenez doucement sur le dos et relâchez toute tension en reprenant votre respiration naturelle abdominale.

Complément. Attitude A29b (stimulante)

Après quelques secondes de récupération, reprenez l'attitude et, après avoir soulevé la tête et les jambes, laissez pendre la tête en arrière, les muscles du cou aussi détendus que possible et sans que le crâne prenne appui sur le sol. Gardez cette posture complémentaire aussi longtemps que la première.

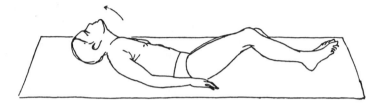

A29 b

Concentration

Sur toute la région abdominale.

Respiration

Etant donné la grande contraction imposée, la respiration est forcément limitée, aussi cela explique qu'avant de prendre la posture nous vous conseillons de respirer trois fois ou plus, très profondément. Pendant le maintien la respiration continuera régulière et sans interruption, mais plus superficiellement.

Difficultés

La faiblesse de vos muscles abdominaux limitera rapidement la durée du maintien de l'attitude, ce qui n'est pas grave, mais risque de vous faire commettre une erreur très préjudiciable : celle de *vous cambrer* les reins au lieu de les *laisser au sol.*

Il est nécessaire que cette région soit votre seule zone de contact avec le plancher. Si cela vous est impossible, ramenez vos genoux un peu plus vers le ventre tout en levant davantage la tête, comme si vous vouliez vous asseoir.

Cherchez le point, non pas le plus facile, mais au contraire celui qui vous demandera le maximum de contraction abdominale.

Certaines personnes, dès la prise de la posture ou au bout de quelques instants, ressentiront un tremblement dans tout le corps. Si tel est votre cas, ne vous affolez pas, cela signifie que vous avez dépassé votre possibilité de contraction supportable. Abandonnez la pose si vous l'avez maintenu suffisamment longtemps ou reprenez-la plusieurs fois de suite au lieu de la maintenir. Peu à peu, suivant votre entraînement, ce tremblement s'espacera.

Avantages

- En plus de tonifier la sangle abdominale et de masser tous les organes de cette région, ces deux postures offrent l'avantage d'être considérées comme régulatrices du système nerveux.

- Si vous êtes doté d'un tempérament émotif et par conséquent impressionnable à l'excès, prenez l'attitude (a) tonifiante. Dès que vous ressentez le tremblement nerveux de tout le corps, cessez et détendez-vous sur le dos.

- Si, au contraire, vous vous sentez déprimé, sans ressort, prenez l'attitude (b) stimulante par son action vraisemblable sur la thyroïde (à déconseiller dans ce cas aux hyper-thyroïdiens).

- C'est sans doute la qualité tonifiante attribuée à l'attitude (a) qui lui a donné la réputation de favoriser le sommeil en cas d'insomnie. Toutefois, à notre avis, ce dernier avantage est très variable suivant les cas, et dépend beaucoup de la cause de l'insomnie.

A30 - Posture de la prise des gros orteils (padangusthasana)

Nous avons déjà vu quelque chose de semblable dans la 6e posture de la première série. Cette similitude s'arrête au nom sanscrit d'ailleurs, car en tant qu'attitude et difficultés, vous jugerez des nuances !

1) Préparation

Mettez-vous debout, les pieds séparés de 30 cm. En expirant, penchez-vous en avant pour saisir les deux gros orteils entre le pouce et l'index.

2) Exécution

En inspirant, relevez la tête et tirez votre dos pour le creuser le plus possible, poitrine bombée. L'étirement du dos part du bas des reins, de la région lombaire.

3) Maintien

Très tendu, des genoux à la colonne vertébrale, en passant par les omoplates. Restez quelques respirations dans cette attitude puis, en expirant, abaissez la tête entre les genoux en tirant sur les bras dont les doigts sont accrochés aux orteils. Gardez cette pose en respirant plusieurs fois (une dizaine environ).

4) Fin

Après une dernière expiration, en inspirant relevez-vous doucement après avoir lâché vos orteils. Redressez-vous complètement la *tête en dernier* et reposez-vous en posture debout.

A30 a

Concentration
Sur la colonne vertébrale, dans la phase d'exécution et sur l'étirement des jambes dans la phase de maintien.

Respiration
Aussi ample que vous le permettent vos difficultés en respiration contrôlée.

Difficultés
La première réside dans la possibilité ou non de saisir les orteils, ce qui pour beaucoup d'entre nous demande un assez long travail de patience ! Dans le cas où vos doigts atteignent péniblement le bout des pieds sans pouvoir les saisir, agrippez à pleine main vos chevilles, voire les mollets et exécutez quand même les deux séquences.

La deuxième difficulté est de prendre conscience du travail de la région dorsale, partant du coccyx jusqu'à la nuque. Au risque de vous lasser, nous vous répétons que le travail seul compte, mais non la réussite.

A30 b

Avantages

● Bien que ce soit surtout la partie supérieur de la cuisse et du genou qui vous semblera intéressée en raison de la sensibilité éprouvée dans cette région, en réalité cette petite gêne surmontée, le dos et les organes abdominaux sont les principaux bénéficiaires de cette posture. Les troubles gastriques et l'aérophagie seront soulagés par cette attitude, de même que les déplacements vertébraux, surtout pour ces derniers dans la phase d'exécution le dos creux.

Voici décrites six postures dans cette série. Elle forme un tout complet auquel on peut bien sûr ajouter d'autres éléments, mais si votre temps est limité, votre séance peut se réduire à cette série dans le schéma se présente ainsi :

En effet, ce schéma commence et se termine par la posture debout pendant laquelle vous respirez quelques instants en respiration contrôlée.

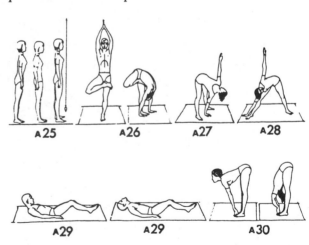

A25   A26   A27   A28

A29   A29   A30

18

HYGIÈNE DES NERFS

Beaucoup de lecteurs d'ouvrages pratiques sur le yoga sont attirés vers cette méthode, plus en raison des possibilités de domination de leur système nerveux qu'elle sous-entend, que par l'attrait de l'exotisme ou du mystère prestigieux que cache le mot *yoga*. En quoi une telle étude se justifie-t-elle pour les nerveux ? Tout simplement par ce que, effectivement, ils peuvent y trouver la réponse à leurs problèmes, une amélioration réelle de leurs difficultés.

Notre santé dépend, pour une très large part, du bon fonctionnement de notre système nerveux. La médecine moderne a établi que beaucoup de maladies, y compris des affections microbiennes, comme la tuberculose, et même la grippe, le rhume, ainsi que la plupart des désordres fonctionnels : troubles digestifs, circulatoires, etc., ont pour origine un dérèglement nerveux.

Vous savez déjà qu'entre le corps et l'esprit il existe une interdépendance très étroite.

Le yoga est un puissant agent d'équilibre nerveux ; nous allons le démontrer en étudiant brièvement quelques principes élémentaires de l'hygiène mentale et physique.

Le yoga constitue un ensemble d'exercices du corps et de l'esprit (contraction suivie de la décontraction ; respiration dynamique ; maîtrise de la pensée par une éducation de l'attention) qui réalise les conditions optimales de l'équilibre nerveux.

Nous devons aux nerfs la souffrance, ce signal d'alarme qui nous permet de nous défendre, de venir à notre propre secours.

Une partie du corps est-elle lésée, les nerfs périphériques, s'il s'agit d'une agression extérieure, ou bien les nerfs de l'organe en difficulté, transmettent au cerveau un message que celui-ci déchiffre instantanément. Par le canal des nerfs, un message venu du cerveau est alors dirigé vers les muscles pour rendre possible une action défensive.

Certaines maladies, comme la lèpre, anéantissent le système nerveux : le malade perd la faculté de souffrir, son corps meurt peu à peu. On sait que le Père Damien, qui passa sa vie au service des lépreux, comprit qu'il était atteint par le mal sans remède lorsque, s'étant par mégarde renversé sur les mains de l'eau bouillante, il constata qu'il n'avait rien senti...

La colonne vertébrale

La science moderne a retrouvé, et largement confirmé, les secrets anciens du yoga, concernant les attitudes normales et salutaires du corps, en position assise ou debout. Il est de première importance de muscler et d'entraîner régulièrement les régions de l'épine dorsale et de l'abdomen.

L'attitude que nous adoptons habituellement, selon qu'elle est conforme ou non à la position naturelle des parties du squelette, peut avoir une influence plus ou moins pernicieuse sur notre santé et notre bien-être.

En effet, la colonne vertébrale est un axe par rapport à quoi les organes se trouvent placés. Une position défectueuse de l'épine dorsale déplace les organes dont le fonctionnement devient pénible, ralenti. Les toxines passent dans le sang ; le système nerveux s'irrite ; l'organisme souffre, peine.

Les femmes sont plus particulièrement menacées, tout simplement parce que les habitudes vestimentaires leur imposent de porter des gaines qui emprisonnent la taille et l'abdomen, privant les muscles de ce libre jeu qui les maintient en bonne santé et permet de compenser les attitudes défectueuses du squelette. Ajoutons que le port des hauts talons a souvent des conséquences funestes. Le corps déjeté, le centre de gravité déplacé et les petits malaises s'installent.

Les maladies d'estomac, beaucoup d'affections des pieds, et des troubles nerveux, dont en particulier certaines dépressions, ont pour origine une contraction excessive imposée par des attitudes défectueuses et de l'hypotonie musculaire.

Le docteur F. M. Alexander s'était fait une réputation méritée de "faiseur de miracle" en appliquant sa méthode de rééducation des attitudes corporelles. Alexander prouva que la position de la tête par rapport à la colonne vertébrale est d'une importance particulière : lumbago, asthme, affaissement de la voûte plantaire, douleurs d'estomac peuvent provenir d'un défaut d'attitude

De plus, une posture défectueuse entrave le fonctionnement des organes respiratoires.

Il est évident que la nuque, le cou, l'épine dorsale doivent se trouver dans·le prolongement les uns des autres, selon une ligne naturelle.

Les méthodes modernes de culture physique, l'entraînement des sportifs, aussi bien que la rééducation physique médicale, accordent une place importante aux exercices destinés à l'élongation du squelette, au renforcement musculaire et à l'acquisition d'une attitude normale habituelle.

Apprendre ou ré-apprendre à marcher, à sauter, à

courir à quatre pattes permet souvent de guérir des affections dont on désespérait de se délivrer.

Mais, nous le soulignons avec force : la pratique du yoga permet d'éviter et de surmonter pratiquement tous les malaises et désordres corporels ou nerveux. Il n'est pas d'exercices plus simples et plus complets que ceux du yoga.

Un dos bien droit

Il suffit d'examiner la colonne vertébrale d'un squelette pour en découvrir l'admirable complexité.

Les pièces de cet ensemble mécanique sont établies selon un plan de fonctionnement et à partir de principes de construction des plus rigoureux.

L'épine dorsale doit être solide : elle porte la tête, le cou ; les épaules et les côtes s'y attachent ; elle soutient la cage thoracique, la cavité abdominale et leurs organes.

Elle est protégée des chocs. Elle constitue le point d'appui des leviers que sont les bras. Elle plie et se tient droite. Elle est capable, comme un ressort, de jouer le rôle d'amortisseur.

Bien connaître l'agencement de la colonne vertébrale et ses multiples possibilités fonctionnelles, permet d'en prendre soin à bon escient.

L'épine dorsale se compose de trente-trois disques osseux séparés par des pare-chocs cartilagineux. Les disques sont percés d'orifices par où passent les faisceaux nerveux. Ces disques sont-ils déplacés ou heurtés, les nerfs comprimés signalent au cerveau le danger, par le message : douleur dorsale.

La fibre nerveuse ainsi excitée déclenche la formation d'*acétylcholine*, une substance qui passe dans le sang en quantités excédentaires ; des troubles s'ensuivent, car les doses exagérées d'*acétylcholine* peuvent être à l'origine des ulcères d'estomac, de certaines affections cardiaques.

L'angoisse aussi provoque une hypersécrétion du même genre, qui empoisonne l'organisme.

La colonne vertébrale n'est pas rectiligne : elle est dessinée selon une succession de courbures légères qui ont pour effet de la rendre élastique, très résistante aux chocs.

Vouloir se "tenir droit" avec raideur, comme le soldat au garde-à-vous, c'est s'imposer une attitude très éloignée de l'attitude naturelle la plus aisée.

Il est intéressant de savoir qu'une correspondance subtile existe entre les diverses régions du système vertébral et les organes de notre corps.

Un ostéopathe anglais, Sir James MacKenzie, a établi que les quatre premières vertèbres dorsales correspondent au coeur ; les quatre suivantes à l'estomac. Puis viennent les vertèbres qui sont en relation avec le foie, l'utérus, le rectum.

Un point sensible dans le dos est souvent un signe douloureux émis par un organe en difficulté. Le coeur, l'estomac, etc., "avertissent" la colonne vertébrale. Le médecin sait déchiffrer la signification de cette douleur, et remédier au désordre interne.

Les ostéopathes et les praticiens de la chiropraxie manipulent l'épine dorsale de leurs patients, agissant de ce fait sur les organes qui dépendent de l'équilibre vertébral. Beaucoup d'affections sont, de cette façon, définitivement guéries.

Des exercices d'assouplissements, de mobilisation de l'épine dorsale, et le massage musculaire opéré par un entraînement régulier, entretiennent la vie et la santé.

Si le dos est une partie essentielle de notre corps, d'autres régions ne lui cèdent en rien pour l'importance.

Les régions clefs

Vous comprenez mieux, maintenant, la valeur des exercices de yoga qui ont trait à la contraction suivi de décontraction, et des exercices raisonnés de respiration. Cet entraînement a un effet profond et salutaire sur les régions dorsales et abdominales du corps.

Citons le *cerveau*, comme un des organes dont dépend notre équilibre vital. Les exercices d'attention, de concentration mentale, de maîtrise de la pensée multiplient considérablement nos possibilités cérébrales.

Les *cinq sens* ont un rôle capital à jouer. La vue, l'ouïe, l'odorat, le goût et le toucher dépendent du système nerveux. Ils sont affectés par les chocs émotionnels, et par les troubles fonctionnels de l'organisme.

Il est utile de savoir que certaines maladies d'estomac occasionnent une sensation de brûlure à la langue, ou une altération du goût. Combien de digestions laborieuses troublent la vue, rendent les yeux sensibles à la lumière vive... Des symptômes visuels doivent toujours amener à une investigation minutieuse des conditions du système digestif.

De même, une perte de la sensibilité au niveau de la peau est un symptôme inquiétant.

Les exercices du yoga ont une action sur l'ensemble de la personne de celui qui les pratique ; bien comprendre cet aspect essentiel de l'interdépendance de toutes les parties de notre être est une étape importante dans l'apprentissage du yoga.

Les exercices habituels de contraction et de décontraction, qui font partie de l'entraînement le plus élémentaire, permettent de retrouver le rythme naturel, cette succession du tonique et du relâché, ce passage de l'action au repos, qui est, comme le rythme cardiaque ou respiratoire, celui de la vie.

Votre système nerveux a besoin de vous. Il joue un rôle essentiel dans votre vie ; votre bien-être, votre bonheur même dépendent de son équilibre. Mais il est nécessaire de suivre quelques principes généraux d'hygiène de vie pour préserver et conserver cette harmonie complexe et relativement fragile.

Il est temps aujourd'hui, pour vous, de réfléchir à ces notions qui vous concernent personnellement. Choisissez la santé, elle est à votre portée.

Les vibrations

Toutes les vibrations ont une action, souvent bienfaisante, sur le système nerveux. Il est intéressant de s'arrêter sur ce point.

a) Les sons

On a souvent fait rire en racontant l'histoire du chanteur qui poussait si haut la note aiguë qu'un verre se brisa. Cet incident n'est pas invraisemblable.

Il y a cinquante ans, la science ne savait pas expliquer un phénomène pourtant bien réel : il y a des vibrations qui tuent, qui guérissent, brûlent, détruisent.

On lit dans le Bible que les Israélites marchèrent autour des remparts de Jéricho en sonnant de la trompette. Et les murailles de Jéricho tombèrent...

On a réalisé aux Etats-Unis un son équivalent à 33 000 trompettes ; projetées contre un mur, les vibrations obtenues le jetèrent à bas.

Depuis des siècles, on connaît en Orient la puissance subtile des vibrations musicales. La musique indienne peut nous sembler discordante, elle est composée de sons beaucoup plus finement étagés que les nôtres.

Les Hindous assurent qu'un musicien, debout dans l'eau jusqu'au cou, peut en jouant le *Dipak Kage*, l'air "qui allume le feu", provoquer un échauffement considérable de l'eau, par la vertu de vibrations inaudibles particulières, accompagnant les notes les plus aiguës. On assure que si le musicien pouvait soutenir son effort, la note finale jaillirait avec les flammes qui consumeraient l'homme.

Légende symbolique ? Peut-être...

On sait aujourd'hui que les ultra-sons sont des ondes sonores inaudibles qui peuvent être utilisées.

Certaines vibrations sont dangereuses. Au passage d'un pont suspendu, les soldats rompent le pas cadencé ; un système de vibrations pourrait s'amplifier par résonance jusqu'à briser l'armature du pont.

Ces connaissances vous permettent de mieux comprendre l'effet des vibrations provoquées par la respiration.

b) La lumière, les rayons, les ondes

Parmi les vibrations bienfaisantes, citons, au premier rang, la lumière solaire.

Elle voyage à une vitesse de 299 337 km à la seconde. Elle a une longueur d'ondes de 440 millimicromètres, au rythme de 750 milliards de vibrations par seconde.

La lumière solaire, si elle est dosée, entretient la vie. En excès, elle brûle, dessèche.

D'autres vibrations naturelles sont salutaires et vivifiantes. Les mouvements du vent et de la mer, le flux de l'eau courante, les pressions rythmées de la main du masseur, les caresses, les intonations apaisantes de la voix humaine, sont autant de vibrations naturelles qui guérissent.

c) Les couleurs

Psychologues et physiologistes ont étudié les effets des couleurs sur notre tempérament, notre humeur.

On sait que certaines couleurs absorbent la chaleur, alors que d'autres l'irradient.

Les rayons infra-rouges et les ultra-violets sont très dangereux pour les yeux.

On a cherché, par des bains de lumières colorées, à utiliser l'action des couleurs sur les êtres vivants. La lumière bleue est calmante et anesthésique ; la rouge est excitante ; la lumière verte est favorable à la vue.

Flammarion notait que dans un atelier aux vitres rouges les ouvriers se disputaient ; on remplaça les carreaux par du verre bleu et le calme se rétablit.

19

CONSEILS
POUR ATTEINDRE
A LA MAÎTRISE RESPIRATOIRE
(PRANAYAMA)

Nous n'avons examiné et pratiqué jusqu'à présent que deux façons de respirer qui ne sont pas encore le pranayama proprement dit, ou contrôle de l'énergie vitale de la respiration.

Il eût été vain de commencer le contrôle possible de cette énergie sans avoir, au préalable, retrouvé notre respiration naturelle.

Le premier des exercices respiratoires décrit, la respiration profonde ou contrôlée (ujjayi), est le plus important de tous, parce qu'il s'impose dans toutes les circonstances de notre vie, non seulement pendant les postures, mais en dehors de celles-ci et même à leur place.

A la place des séances ? Mais oui, parfaitement ! Du moins lorsqu'il s'agit de pranayama respiratoire, lequel devient alors un entraînement complet en lui-même.

En effet, l'attention du pratiquant ne doit pas se disperser sur d'autres facteurs tels que localisation du travail articulaire ou organique spécifique des postures, mais se localiser exclusivement sur le rythme, les temps de tenue du souffle et les contractions spéciales indispensables, ce qui suffit amplement à occuper la pensée.

Jusqu'à présent, nous ne vous avons indiqué aucun temps de rétention poumons pleins ou vides caractérisant le pranayama (voir les **quatre phases respiratoires**, page 73). Nous allons les aborder maintenant avec les quelques précautions qui s'imposent.

Plusieurs points sont à examiner et à préciser avant de commencer, d'abord : **quand, où** et comment.

Le moment et le lieu

De toute façon, il va de soi que ces exercices respiratoires ne s'exécuteront qu'après avoir libéré intestins et vessie, comme pour les postures, ce qui sous-entend que vous serez à jeun ou presque, c'est-à-dire tout au plus après une tasse de liquide, thé, café ou jus de fruit, le matin ou avant le dîner.

Un yogi s'adonne au pranayama quatre fois par jour : avant le lever du soleil, à midi, au coucher du soleil et à minuit.

Encore une fois répétons que vous n'êtes pas de yogis et qu'il n'est pas recommandable que vous alliez jusque-là, votre vie sociale normale étant incompatible avec une règle trop stricte.

Donc, pour vous, le matin ou le soir pendant 10 à 15 minutes cela suffit, à la place d'une séance d'asana ou en conclusion de celle-ci pendant cinq minutes au maximum.

La régularité de l'entraînement est importante afin que les exercices soient efficaces. Ce ne sont pas des moyens passagers destinés à surmonter momentanément une difficulté, mais un entraînement au même titre que les postures. Par exemple, pour celles-ci le fait de les "réussir" la première fois ne vous dispense pas de vous entretenir, il en est de même pour la respiration.

En outre, les pranayamas, car il y en a plusieurs, doivent être pratiqués en un déroulement périodique et non tous à la suite le même jour.

L'emplacement n'offre pas de difficulté majeure : il peut être le même que celui réservé ou utilisé pendant votre séance de posture. Si vous pouvez garder les fenêtres ouvertes suivant la saison ou la situation de votre local ou appartement, tant mieux ; mais ne vous croyez pas obligé de risquer une pneumonie ni de vous imposer les bruits de la rue sous prétexte de yoga.

L'attitude requise

Après avoir répondu aux questions : quand et où, il nous reste à répondre au "comment", c'est-à-dire quelles sont les conditions requises pour s'exercer.

1) La posture

Bien qu'il soit possible d'être debout, il est préférable que vous choisissiez une position assise ou à genoux, à condition que l'une ou l'autre attitude ne vous gêne pas au bout de quelques secondes et que vous puissiez surtout, pendant tout le temps de l'exercice, garder : *la nuque, le dos, les reins sur une même ligne*. Cela signifie que s'il est préférable de prendre l'une des positions assises que nous vous avons décrites ou que vous trouvez dans ce livre, ceci n'est nullement indispensable. Dans le cas possible où aucune de ces attitudes ne vous conviennent, c'est-à-dire ne répondent au critère de confort nécessaire, contentez-vous de vous asseoir sur un siège quelconque dont vous n'utiliserez pas le dossier afin de garder le dos droit.

2) Cette attitude une fois choisie, le visage sera aussi détendu que possible. Pas de sourcils froncés, de lèvres crispées. La langue elle-même sera passive afin que la salive n'emplisse pas la bouche pendant la respiration. Cette même salive ne sera avalée qu'en *expirant*. Le torse est bombé, le ventre normalement placé.

Le menton rentré appuyé contre la gorge. Eventuellement, si cela vous permet de mieux vous recueillir, les yeux seront à demi fermés.

Les deux mains posées sur les genoux, sauf dans le cas de respiration alternée où la droite servira à obstruer les narines.

N'essayez pas, malgré l'esthétique du geste, d'utiliser la position particulière des doigts (index touchant le pouce, les trois autres doigts allongés). Ce "mudra" ou sceau symbolique n'a pas de valeur autre que pittoresque si nous ne sommes pas hindous et ne possède pas la résonance spéciale qu'elle a pour un yogi indien en raison de sa croyance.

Il est inutile donc de vous en servir, car ce ne serait qu'une singerie sans portée pour vous.

Pour conclure ce paragraphe sur l'attitude requise et bien vous imprégner de la nécessité de la rectitude du dos, remarquons que dans l'ordre de progression des huit degrés du hatha yoga, le pranayama, malgré son importance, et peut-être à cause d'elle, vient en quatrième position.

Cet ordre de préséance a sa raison d'être. Comme il s'agit pour le pratiquant de dominer la bio-énergie du prana et de la diriger le long de la colonne vertébrale, il est normal que celle-ci fasse l'objet de la première attention afin d'en corriger ou atténuer les défauts.

Comme nous le disais un Indien : "Il ne vous viendrait pas à l'idée de faire monter une cabine d'ascenseur dans une cage qui ne serait pas rectiligne. Or, c'est un peu ce que vous demandez à la force vitale située à la base de la colonne vertébrale tant que vous n'avez pas préparé celle-ci à recevoir et diriger cette force ascendante."

Ceci n'est qu'une image pour nous inciter à nous redresser, et, de ce fait, permettre à nos organes, poumons, coeur, etc., de reprendre une suspension naturelle. N'attendez pas d'atteindre la perfection car, qui d'entre nous peut être sûr de posséder une colonne vertébrale remplissant toutes les qualités de rectitudes demandées pour utiliser les "pranayamas" ?

Soyons modeste, très modeste ! Nous ne manoeuvrons pas cette force aussi aisément, même si notre colonne vertébrale ne fait pas obstacle.

Contentons-nous de placer nos vertèbres, et donc nos organes, dans une attitude corrigée propre à un bon travail organique, sans plus.

Sachons qu'il faut avoir dominé, dans la mesure où notre nature nous le permet, la position de nos vertèbres et nos réactions organiques par les postures, avant de pouvoir approfondir vraiment les pranayamas. Toutefois, cela ne veut pas dire qu'une personne dont le dos serait irrémédiablement déformé doive perdre tout espoir, mais au contraire s'efforcer, malgré tout, à faire de son mieux.

En principe, aucun pranayama ne doit être tenté sans les conseils d'un guide qualifié. Cela est surtout vrai pour les phases supérieures et accentuées, heureusement, car il est bien difficile, sinon impossible de trouver l'un de ces guides, même parmi ceux qui pensent être qualifiés.

Encore une fois, soyons modeste et appuyons-nous sur la raison, garde-fou limitatif, mais indispensable.

Tout excès ou fausse manoeuvre répétés peuvent être plus préjudiciables que favorables. En revanche, une pratique judicieuse peut réellement modifier profondément votre vie.

Les rétentions (Kumbhaka)

Ce qui différencie une respiration même profonde et régulière, du pranayama, ce sont les rétentions et, à leur défaut, la lenteur des deux phases respiratoires de l'inspiration et de l'expiration.

Ces rétentions, après l'inspiration ou l'expiration,

correspondent à une assimilation et à une répartition accentuées, sorte de suralimentation de l'individu.

Aussi nécessaire que soit cette suralimentation pour nous, pauvres sous-alimentés respiratoires que nous sommes, il ne faut pas qu'elle devienne pléthorique et, de ce fait, "intoxiquante".

Comment cela ?   Expliquons-nous, sinon une fois pour toutes, au moins pour ouvrir une discussion fructueuse.

La rétention de souffle poumons pleins est non seulement normale, puisqu'elle est possible, mais nécessaire. Cependant, lorsqu'elle devient *excessive*, ce que recherche le yogi pour endormir sa pensée discursive en asphyxiant son cerveau par manque d'oxygène, elle ne répond plus à ce que nous cherchons, elle devient une auto-intoxication favorable sans doute à la méditation transcendante, mais peu apte à nous servir dans notre vie active.

Or, que cherchons-nous ? Sûrement pas un amoindrissement de notre pensée, mais au contraire une acuité de celle-ci ; donc limitons-nous à la période disons "alimentaire" vivifiant nos cellules cérébrales sous-alimentées par notre respiration insuffisante, mais n'allons pas jusqu'au gavage anémiant.

Cela se traduit pratiquement par la règle du dosage raisonnable que sous-entend toujours le hatha yoga et qu'il semble que tous n'aient pas compris, ou oubliée :

En aucun cas, vous ne devez forcer quoi que ce soit, mais vous devez aller *jusqu'au bout de votre possibilité actuelle* ; ce qui s'applique aux postures pour en éviter les inconvénients et en obtenir le maximum d'avantages s'adresse encore plus aux exercices respiratoires.

Il est absurde et dangereux de vouloir atteindre les

rythmes conseillés ou exposés par les auteurs, si réputés soient-ils, sous prétexte que les yogis pratiquent le petit, moyen ou grand pranayama, c'est-à-dire des rétentions allant de 16 secondes à 60 secondes, et plus.

Même si vous remplissez les conditions *sine qua non* de l'aptitude à ces exercices respiratoires, c'est-à-dire si vous ne souffrez ni d'asthme ni d'emphysème, d'aucun trouble respiratoire ou circulatoire, et que vous ne soyez pas atteint de tuberculose, *soyez prudent.*

Aucune rétention poumons pleins ne doit être maintenue au-delà de la tenue agréable du souffle et de la facilité à en diriger les cadences périodiques.

Moyennant le respect de cette règle *impérative,* il n'y a aucun danger à retenir le souffle.

Par exemple : si vous inspirez et expirez sans difficulté le temps de compter lentement jusqu'à 7, et qu'entre ces deux périodes vous ne puissiez placer une période de rétention de 7 sans que l'inspiration suivante soit forcée, vous avez outrepassé vos possibilités.

Cette mise en garde est généralement d'autant moins observée que les résultats malfaisants de ces expériences ne se font sentir qu'à la longue. Ce n'est pas sans raison que des maîtres yogis authentiques ont abandonné l'enseignement des rétentions poumons pleins, non à cause de la soi-disant faiblesse pulmonaire des Occidentaux, comme nous l'avons lu quelque part, ce qui est une affirmation ridicule, mais parce que notre regrettable obstination à la compétition risquait de fausser notre progression.

Nous pensons avoir été assez clair, non pour vous inquiéter ni vous interdire ces exercices, mais vous mettre face à votre responsabilité en toute connaissance.

Avant d'aborder les respirations, il nous reste quelques précisions utiles à connaître, notamment les contractions (bandhas), les canaux par lesquels passerait l'énergie vitale (nadis) et les centres nerveux (chakras) zones régulatrices de l'énergie.

Les canaux et les centres de l'énergie vitale (nadis et chakras)

Nous savons que :

- Ha veut dire force mâle ou soleil,
- Tha veut dire force femelle ou lune.

Suivant les yogis ces deux forces sont canalisées par deux sortes de tubes subtils n'ayant pas de réalité organique (plus lieu de passage ou trace que réellement canaux). Ces deux canaux qui se nomment ida, pour la force mâle, pingala pour la force femelle, s'entrecroisent autour d'un troisième, susumma, formé par la colonne vertébrale et débouchent l'un, ida, par la narine droite, l'autre, pingala, par la narine gauche. D'où l'importance de la respiration par les narines, aux yeux des yogis, dépassant la simple raison hygiénique du réchauffement et du filtrage de l'air que nous considérons comme suffisante.

Cette force énergétique aux polarités complémentaires part d'un point du corps situé dans la région pelvienne au-dessus de l'anus. Ce point, le premier des sept centres (chakra) ou plexus, lieu de croisement des deux canaux se nomme "muladhara chakra". Mula signifiant base, racine, source ; adhara : partie vitale. Le second centre, svadhistana, situé au-dessus des organes de la génération. Sva : force vitale, adhistana : demeure, résidence.

Le troisième, manipura, se localise au nombril, d'où son nom, manipura : nombril.

Le quatrième, anahata, dans la région cardiaque, anahata : coeur.

Le cinquième, visuddha, dans la région pharyngée, visuddha : pur.

Le sixième, ajna, entre les deux yeux, ajna veut dire : poste de commande.

Enfin le septième, sahasrara, nommé le lotus aux mille pétales, au sommet du crâne.

Certains yogis énumèrent trois autres centres :

Mana : esprit, surya : soleil, situés entre le nombril et le coeur, et lalata : le front, situé au-dessus de la ligne limitée par les cheveux.

Ces chakras ou centres, le mot voulant dire exactement roue... correspondraient aux glandes endocrines proches de leur localisation.

Les avis, même émanant de yogis, ne sont pas tous identiques sur ces correspondances. Nous allons vous les énumérer cependant pour votre information.

Le premier et le deuxième correspondraient à tout le système glandulaire génital, d'où leur importance en raison du rôle sacré de la procréation et du facteur de jeunesse et de vitalité que ces glandes et leur sécrétion représentent dans le fonctionnement du corps. De tout temps et dans tous les pays, et même en médecine, on a toujours considéré ces hormones, ou sécrétion, comme concrétisant la force, la santé, la jeunesse.

Le troisième correspondrait à l'estomac, rate, foie et pancréas.

Le quatrième correspondrait au coeur et à la circulation du sang.

Le cinquième correspondrait aux glandes thyroïdes et para-thyroïdes.

Le sixième et le septième, voire le huitième

(lalata) pourraient diriger le cerveau, l'hypophyse et l'apophyse, tandis que les deux supplémentaires, mana et surya, correspondraient aux surrénales.

La maîtrise volontaire de ces centres, maîtrise recherchée par le yogi, lui donnerait domination sur le fonctionnement de tout son organisme, voire lui procurerait les fameux pouvoirs psychiques correspondant à chacun de ces centres, de la jeunesse éternelle à l'invisibilité, l'indestructibilité, la transmutation des métaux, la voyance, etc.

Bien que très séduisante, l'obtention de ces pouvoirs magiques dépasse les buts plus terre à terre que nous nous sommes fixés. Cependant, ils dépendent tous de l'éveil de cette force vitale représentée symboliquement par un serpent lové (Kundalini) situé au chakra de base. Lorsque cette énergie est réveillée par les différents exercices des huit étapes du yoga, elle monte le long de la colonne vertébrale jusqu'au sommet du crâne et c'est alors la liaison entre la matière et l'esprit et la dernière étape samadhi est atteinte.

Comme vous le supposez, nous n'en sommes pas là. D'ailleurs de leurs propres aveux, les yogis ne parviennent à ce stade que très rarement et au bout de longues années de discipline.

Mais, alors, pourquoi nous avoir expliqué tout cela ?

D'abord parce qu'il est intéressant pour vous de vous informer aussi précisément que possible, ensuite parce que cela justifie certaines prescriptions qui, autrement, sembleraient sans intérêt ou incompréhensibles et, spécialement, les bandhas ou contractions.

Les trois contractions fondamentales (tria bandha)

I . Contraction du réseau

Nous connaissons celle dite du réseau (des artères du cou) ou jaladhara, c'est-à-dire la pression du menton contre le creux de la gorge. Cette pression trouve sont maximum d'effet dans la posture du corps entier (A14) et doit accompagner les exercices respiratoires dans chacune de leurs phases, inspiration, rétention, expiration.

Pourquoi ? Tout simplement parce que cette contraction a pour but de régulariser le passage du sang venant du coeur et le fonctionnement des glandes du cou. Elle intéresse le chakra visuddha réservé à la zone pharyngée ou thyroïdienne. Cette contraction, selon les yogis, a pour but de diminuer la pression provoquée par la tension respiratoire qui serait trop forte si on la négligeait ;

II. Contraction de base (mula bandha)

Le mot mula signifie racine, source, cause, base, parce que cette contraction intéresse la base du corps, c'est-à-dire le périnée ou région située entre l'anus et le sexe, soit le muladhara chakra.

Cette contraction s'exécute en tirant vers l'intérieur du corps la partie périnéale, c'est-à-dire en contractant l'anus.

Elle a la réputation, peut-être pas tellement exagérée, de favoriser une jeunesse perpétuelle lorsqu'elle est pratiquée constamment. Par beaucoup de maîtres yogis, elle est employée pendant la rétention poumons pleins et par d'autres, notamment Krishnamacharya, pendant la rétention poumons vides.

Nous nous sommes ralliés à cette dernière conception pour la raison toute simple que s'il s'agit de bloquer, donc de contracter (+), cela va de pair avec une détente (-), donc l'expiration et sa tenue. De plus, comme nous l'avons dit, en aucun cas vous ne devez, du moins en ce qui concerne le pranayama, retenir le souffle au-delà de la sensation agréable. Or, utilisé après l'inspiration, elle tendrait à faire outrepasser cette règle.

Enfin, cette contraction peut être exécutée en posture debout (A25), en posture du corps tout entier (A14), en posture de la tête et en posture de l'étirement postérieur (A12) pour en accentuer les effets. Or, rappelez-vous, aucune rétention poumons pleins ne doit être effectuée pendant les postures, il s'agit donc bien de la phase expiratoire finale qui, elle, peut être maintenue sans aucun risque ni inconvénient ;

III. Contraction volante (uddiyana bandha)

Uddiyana veut dire s'envoler. Cette contraction doit son nom à ce qu'elle est réputée pour éveiller, faire monter la force vitale (Kundalini) dans la colonne vertébrale. Ce serait la plus importante de toutes les contractions. Elle se situe toujours après l'expiration pendant une rétention poumons vides.

Sa description étant assez délicate, nous vous en donnons le détail ci-dessous.

1) Préparation

Debout, les pieds parallèles séparés de 30 à 50 cm, inclinez-vous légèrement en avant, en fléchissant un peu les genoux, placez vos mains sur les cuisses, les doigts dirigés vers l'intérieur, coudes fléchis. Le menton est fortement appuyé contre le creux de la gorge (jalandhara).

2) Exécution

Après avoir inspiré profondément en *gonflant le ventre et sans émettre le son guttural* de la respiration contrôlée, expirez à fond rapidement.

3) Maintien

Ne respirez plus, restez poumons vides et faites une *fausse* inspiration en écartant les côtes, mais *sans prendre d'air*. Le ventre s'avale littéralement vers le haut comme s'il était aspiré par l'intérieur, sans *contraction musculaire* ; en restant souple, par conséquent, gardez cette rétention 3 à 5 secondes.

Abaissez doucement les côtes soulevées et inspirez normalement en relâchant le ventre, expirez à nouveau à fond. Recommencez deux ou trois fois (le menton reste tout le temps contre la gorge).

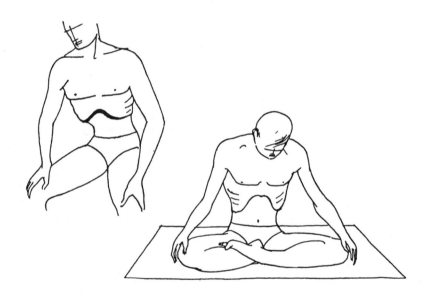

4) Fin

Redressez-vous en inspirant profondément doucement sans effort.

Nota : Bien que nous ayons décrit cette contraction en position debout, elle s'utilisera aussi en position assise.

Difficultés

Après avoir expiré on a tendance à laisser les

abdominaux contractés. Il est impératif que le ventre soit mou. Contrôlez vous-même d'une main. Eventuellement, après l'expiration, pincez-vous les narines pendant la fausse inspiration pour vous empêcher d'inspirez de l'air. Ne forcez pas votre talent, ne restez que quelques secondes sans respirer, recommencez trois ou quatre fois. L'entraînement progressif consiste sans exagération à augmenter la durée de rétention plus que de répéter les phases.

Contre-indications

Toute irritation ou crise aiguë des organes abdominaux interdit cet exercice ; toute gêne ou douleur qu'il provoquerait aussi. Dans le cas où cette gêne récidiverait, consultez votre médecin : elle peut signaler une appendicite, une adhérence ou tout autre trouble hépatique ou stomacal. En revanche, les descentes d'organes (ptoses) ne sont pas une contre-indication, au contraire.

Avantages

- Cette contraction est l'un des plus merveilleux cadeaux que nous font les yogis. Non pas en raison de l'éveil de la force vitale comme son nom l'indique, éveil hypothétique, qui résulterait de l'action sur les chakras du nombril et du coeur, mais par le massage profond des viscères, d'où la possibilité de remédier à la constipation aussi bien que favoriser la remise en place d'organes descendus.
- L'action sur l'équilibre neuro-végétatif est probablement important.
- Il va de soi que cet exercice, s'il peut terminer une séance de hatha yoga, doit figurer dans notre rite quotidien d'hygiène matinale, mais on ne le pratiquera jamais après s'être alimenté.

Vous connaissez maintenant les trois contractions fondamentales qui vont vous permettre d'aborder les pranayamas.

En dehors des séances respiratoires que nous allons voir, la contraction de base (mula) et la contraction volante (uddiyana) s'utilisent à votre gré, la première chaque fois que vous le voulez à longueur de journée, la deuxième le matin pendant votre toilette, même si vous ne faites pas d'autres exercices.

20

LES PRANAYAMAS PRINCIPAUX ET LEUR MODE D'EMPLOI

Il existe une assez déroutante variété d'exercices respiratoires, soit parce que les maîtres instructeurs ont modifié telle ou telle phase, soit parce que l'initiation reçue ou transmise obéissait à certaines règles particulières ou répondait à des nécessités personnelles, précises, mais non explicitées. Il en est de même pour les postures.

Afin de ne pas vous entraîner trop loin sans nécessité et comme nous le faisons pour les postures, nous vous décrirons les plus importants de ces exercices, les autres que vous pourrez rencontrer en d'autres ouvrages ne seront que mineurs, complémentaires, mais de moindre valeur.

La respiration profonde (ujjayi)

Vous connaissez bien maintenant cette respiration primordiale dont l'un des avantages, et non des moindres, est de pouvoir être utilisée à n'importe quel moment de la journée, dans n'importe quelle attitude ; assis, à genoux, debout, en marchant ou couché. C'est la seule qui remplisse ces conditions, avec toutefois deux autres que nous allons détailler plus loin.

Tout ce que nous pouvons ajouter à propos de cette respiration, concerne les temps d'arrêt respiratoire, poumons pleins et poumons vides, associés aux contractions.

En fin de séance d'asana, ou à la place de cette séance, voici comment procéder.

Assis

Dans une attitude de votre choix. Eventuellement après avoir soulevé le tronc par un support quelconque, coussin, couverture pliée, livre, tabouret, afin de ne ressentir aucune tension désagréable et insupportable dans les genoux, cuisses ou hanches.

Cherchez bien votre centre de gravité localisé dans le bassin[1], corrigez votre attitude dorsale de votre mieux. Si vous êtes jambes croisées n'hésitez pas à vous cambrer.

Si vous êtes à genoux, veillez au contraire à ne pas vous cambrer. Passez l'une de vos mains le long du dos pour mieux vous rendre compte de la bonne position de ce dernier.

Lâchez vos épaules, placez vos mains sur les genoux.

Rentrez le menton contre le creux de la gorge et maintenez cette contraction (réseau) toute la durée de l'exercice.

a) *Réglez votre souffle* en comptant mentalement le temps que vous mettez à inspirer et expirer. Réduisez ou augmentez la durée des périodes respiratoires de telle sorte que l'inspiration soit aussi longue ou courte que l'expiration. *N'oubliez pas d'émettre le son guttural* ;

b) Après avoir inspiré comme vous en avez l'habitude, attendez d'avoir *envie* d'expirer sans exagération et expirez selon le même rythme que l'inspiration. Puis, après cette expiration, attendez d'avoir *envie* d'inspirer, et recommencez.

---

1   Voir Yoga sans postures, par Ph. de Méric (Édit. M.C.L.)

Ajustez votre souffle, c'est-à-dire trouvez la cadence exacte de telle sorte qu'aucune tension ni essoufflement ne vienne en modifier la cadence ;

c) dès que vous avez ainsi dosé votre "tempo" respiratoire, après chaque *expiration* contractez la région périnéale (base) et soulevez les côtes (c. volante), maintenez la rétention "poumons vide" avec les trois contractions.

Les premières fois, c'est-à-dire à peu près pendant un mois si vous vous entretenez tous les jours pendant trois à cinq minutes après vos postures, ne tenez le souffle à vide ou à plein que *dix fois*.

Après ces dix fois, respirez en respiration profonde le temps que vous aurez décidé, sans retenir le souffle.

Après chacune des séances respiratoires, étendez-vous sur le dos pendant une à deux minutes ou plus en respiration naturelle abdominale.

Si votre séance est plus longue que celle terminant vos postures, à la place de celles-ci par exemple, faites dix respirations avec tenue du souffle. Arrêtez-vous et pratiquez la respiration de nettoyage (Kapala bhati) que nous allons étudier maintenant, puis recommencez une série de dix respirations et ainsi de suite trois fois.

Augmentez chaque jour d'une rétention, après le premier mois d'entraînement, mais n'essayez pas d'augmenter *les durées* de ces rétentions. Respectez toujours la règle de *l'agrément*.

Respiration de nettoyage (Kapala bhati) Celle-ci n'est pas un pranayama, mais un "Kriya", c'est-à-dire un "procédé" spécial de nettoyage des voies respiratoires (Kapala veut dire : crâne - bhati : lumière, éclaircissement).

1) Préparation Toujours en position assise ou debout fermement calé sur les jambes. Cette fois il s'agit d'une respiration *exclusivement abdominale*, la poitrine ni les côtes ne s'ouvrent plus comme dans la respiration profonde et le passage de l'air *n'est plus ressenti* dans l'arrière-gorge, mais la contraction du réseau est maintenue toujours.

2) Exécution

Expirez rapidement et vigoureusement par le nez en contractant à fond les muscles abdominaux. Ne retenez pas le souffle, lâchez la contraction abdominale pour inspirez et expirez à nouveau vigoureusement. Recommencez trois fois cette expiration forcée.

En somme, il s'agit d'une expiration active et d'une inspiration passive et non profonde.

Avantages et emploi

- Non seulement cet exercice ventile les poumons profondément, mais réalise un massage tonifiant de la musculature et des organes abdominaux et dégage les voies respiratoires nez et gorge, entretenant leur propreté. Il permet de décongestionner le nez lors d'un début de rhume ou de grippe.
- Cet exercice s'insère entre les pranayamas et pourrait rendre de grands services aux nageurs et pêcheurs sous-marins, de même qu'aux fumeurs pour les désintoxiquer.

Respiration soufflet (bhastrika pranayama)

Remplaçant la respiration de nettoyage ci-dessus, et plus complète, cette respiration porte son nom en raison du bruit de soufflet (bhastrika) que le pratiquant fait entendre.

1) Préparation

Toujours en position assise ou debout comme la précédente.

Là encore c'est une respiration abdominale, encore que certains yogis fasse exécuter aussi en respiration thoracique. Le menton est toujours bloqué contre la poitrine, le bruissement guttural supprimé.

2) Exécution

Inspirez et expirez rapidement et profondément en gonflant et dégonflant le ventre, sans retenir le souffle entre chaque. Pratiquez de cinq à dix respirations de ce genre puis, inspirez lentement et profondément comme dans la respiration profonde (ujjavi).

Retenez le souffle le temps de compter lentement jusqu'à trois et expirez lentement et profondément, comme dans la respiration profonde en reprenant, dans ces deux phases, le bruissement guttural.

Répétez le soufflet pendant cinq à dix respirations, continue par une ou deux larges respirations contrôlées profondes.

Recommencez encore une fois la série soufflet.

Terminez par la respiration contrôlée et étendez-vous sur le dos ; décontractez en respiration naturelle.

Avantages et précautions

● Les avantages sont les mêmes en plus accentués que ceux de la respiration précédente. Signalons que ce genre de respiration est tout à fait contre-indiqué aux cardiaques et aux épileptiques. Ces derniers risquent de se provoquer une crise. Si vous ressentiez un vertige, ne vous inquiétez pas, inspirez tout de suite profondément et gardez le souffle de cinq à dix secondes et cela passera. Ce vertige signifie que vous vous êtes trop alcalinisé momentanément.

Variante plus énergique du soufflet

Elle s'effectue en respirant et expirant plusieurs fois par la même narine, l'autre étant bouchée.

La seule différence avec la première respiration

soufflet réside en ceci :

Bouchez votre narine gauche avec les deux derniers doigts de la main droite placée contre la cloison nasale. Inspirez et expirez de cinq à dix fois par la narine droite rapidement et par le ventre.

Bouchez la narine droite avec le pouce de la main droite placé contre la cloison nasale. Inspirez et expirez par la narine gauche cinq à dix fois, puis respirez amplement, calmement, trois à quatre fois en respiration contrôlée par les deux narines.

Répétez le cycle de chaque narine trois fois en pratiquant la respiration contrôlée entre-temps et étendez-vous sur le dos.

En plus de la respiration contrôlée profonde ujjayi et du soufflet, les yogis nous offrent deux autres respirations majeures.

La respiration de la pénétration solaire (surya bhedana pranayama)

Le nom bizarre de cette respiration provient de ce qu'elle se fait par la narine droite où passe le courant positif solaire, pingala, ce que nous avons vu au chapitre précédent. Surya veut dire soleil et bhedana donne l'idée de passer au travers, pénétrer.

1) Préparation

La position est cette fois obligatoirement assise ou à genoux, dans l'une des postures que vous préférez. Le reste de l'attitude est exactement conforme aux détails de la respiration contrôlée ujjayi, inclus le menton contre la gorge, mais sans émettre le bruissement guttural qui va être remplacé par le sifflement de la narine par laquelle on inspire et l'on expire.

2) Position des doigts

En vous aidant de votre main gauche, éventuellement, repliez contre la paume de la main l'index et le majeur de votre main droite. Le pouce et les deux derniers doigts, c'est-à-dire l'annulaire et le petit doigt servant de pince.

Placez le bout du pouce droit au-dessus de l'aile du nez juste à la limite de l'os nasal. L'auriculaire et l'annulaire viennent se placer au-dessus de l'aile de la narine gauche à la limite de l'os nasal.

3) Exécution

Avec le bout de l'auriculaire et de l'annulaire fermez complètement la narine gauche.

Le bout du pouce droit *appuie* légèrement contre la narine droite, pas assez pour la boucher mais suffisamment pour diminuer le passage de l'air (c'est ce qui remplace la respiration par la gorge).

a) Inspirez lentement et complètement par la *narine droite* en contrôlant l'ouverture de cette narine ;

b) Pincez les deux narines avec les trois doigts et gardez le souffle *sans effort* (de trois à cinq secondes) ;

c) Continuez à obstruer complètement la narine droite avec le pouce, ouvrez partiellement la narine gauche en relâchant un peu l'appui des deux doigts, expirez lentement et profondément *aussi longtemps* que vous avez inspiré ;

d) Gardez le souffle poumons vides *sans effort* en contractant le périnée (c. de base) et le ventre (c. volante) ;

e) Inspirez à nouveau par la narine droite, toujours légèrement pincée, en bloquant complètement la gauche, retenez, etc.

Continuez ainsi sans effort ni tension pendant trois à cinq minutes ou plus. Sous réserve qu'à aucun moment vous ne soyez obligé *d'inspirer ou d'expirer plus vite*, ce qui soulignerait un effort qui ne doit en aucun cas se poursuivre.

Pendant tout le temps de cette respiration, seule la

narine *droite inspire,* l'autre narine ne fait qu'expirer.

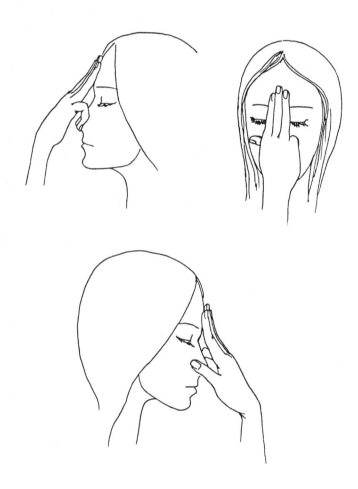

Le matin au réveil sera l'idéal.

Mise en garde :   Les personnes souffrant d'hypertension ou de troubles cardiaques s'abstiendront de retenir le soufle.

Concentration

Fixez votre pensée sur la régularité de la durée des deux périodes respiratoires.

Difficultés

Les doigts fléchis sont décontractés et cela n'est pas toujours aisé. Dans ce cas vous pouvez aussi allonger les trois doigts du milieu sur le nez, alors seuls le pouce et l'auriculaire boucheront les narines totalement et en partie, alternativement.

Au début, vous aurez du mal à équilibrer le non-effort entre une respiration ample et calme et les rétentions. Ne vous énervez pas, persistez, ne calculez pas les temps de tenue vous ne serez pas tenté de les augmenter.

Avantages

● Par la restriction du passage de l'air, les poumons s'emplissent plus profondément et travaillent plus que dans la première respiration contrôlée. Cette respiration tonifie les nerfs par le fort courant positif qu'elle utilise. Ne la pratiquez pas le soir, vous risqueriez de vous endormir difficilement, à moins que vous n'ayez besoin de travailler tard.

La respiration de purification des canaux (nadi sodhana)

Nous avons vu le mot nadi au chapitre précédent en temps que représentant des canaux nerveux ou rails directrices de courant positif ou négatif. Sodhana signifie purification, nettoyage. Par cette respiration, on nous propose une purification de nos réseaux nerveux.

Préparation

La différence avec la respiration précédente réside dans le fait que l'inspiration se fait alternativement par la narine droite et la narine gauche, et l'expiration de même.

L'attitude, l'absence de respiration gutturale, la position du menton et des doigts sont identiques.

Exécution

Expirez par la narine droite, légèrement, *bouchée par le pouce. Inspirez* par la narine *droite* pendant une durée que vous calculez, puis expirez par la narine gauche le même laps de temps. Inspirez par la narine gauche, expirez à droite, inspirez à droite, expirez à gauche, inspirez à gauche, etc.

Toujours en bouchant légèrement chaque narine, tant à l'inspiration qu'à l'expiration. Cette légère fermeture des narines doit être dosée selon l'état de vos voies respiratoires ; si l'une des narines est déjà partiellement bouchée par une déviation, ne la bouchez pas davantage, vous ne pourriez plus respirer. Tout est une question de dosage.

Rétentions

Nous formulons les mêmes réserves que pour tout exercice respiratoire : la tension artérielle excessive interdit les rétentions poumons pleins, la tension artérielle trop basse contre-indique les rétentions poumons vides.

Au demeurant et dès lors que cela ne modifie pas la cadence égale des inspirations et expirations, vous pouvez retenir le souffle entre chaque phase comme pour les autres exercices. Le temp de rétention à vide souligné par les contractions de base et volante.

Avantages

● Purification et tonification des réactions nerveuses sans énerver ; meilleur équilibre mental.

Nous arrêtons ici la description des exercices respiratoires. Il en est d'autres moins importants et surtout moins probants avec des cadences différentes, des temps de rétention calculée suivant des coefficients particuliers. Ils peuvent être intéressants dans certains cas, mais ne sont pas tous anodins. Ils sont à manoeuvrer avec doigté, sortent du cadre de cet ouvrage.

Une séance de pranayama

Vous avez dû vous rendre compte que nous attribuons à la respiration contrôlée, ujjayi, une place de choix. C'est expérimentalement le plus complet, facile et efficace des pranayamas. On pourrait se limiter sans regret à celui-ci complété, du soufflet ou du nettoyage, mais puisque nous en avons décrit d'autres, pourquoi ne pas nous en servir et comment.

De toute manière, la respiration contrôlée restera l'ossature de toutes les autres.

Commencez par cette respiration, avec ou sans rétention, entrecoupée de soufflet ou de nettoyage.

Pratiquez pendant cinq à dix minutes, selon le temps dont vous disposez, et... *votre fatigue*, signal immédiat d'interruption.

Puis, un jour, faites dix respirations de la pénétration solaire.

Le lendemain : respiration soufflet entrecoupé de respiration contrôlée, le tout pendant cinq à dix minutes. Le troisième jour : respiration de purification des canaux avec ou sans rétention.

Nota : Bien que nous ayons indiqué les rétentions, car elles ont leur utilité, nous tenons à souligner que, personnellement, nous leur préférons en tout état de cause les longues respirations dans les deux sens qui ont, par leur lenteur, des effets identiques et sont sans aucun danger ni risque pour personne.

21

YOGA ET LONGUE VIE

La jeunesse ne va jamais sans une sorte de prodiga-lité, une façon de disperser à tous les vents les richesses et les plaisirs, qui ressemble bien souvent à un gaspillage pour ne pas dire un gâchis.

Les jeunes se croient, se savent rarement heureux. Le tumulte des désirs, les aspirations contradictoires, les efforts nécessaires pour s'adapter, s'imposer dans un monde où les adultes tiennent le haut du pavé accentuent la "difficulté d'être" qu'on éprouve à vingt ans.

C'est plus tard que le bonheur devient appréciable, nécessaire, possible et comme à portée de la main. Une fois la quarantaine atteinte, l'homme a derrière lui un passé, des succès, des épreuves, des échecs. Il a appris à se connaître à peu près et à utiliser ses capacités. Il a construit sa vie, plus ou moins bien.

La maturité est l'âge des plaisirs, plus raffinés et choisis que ces franches lippées que la jeunesse s'accorde au hasard de l'occasion.

L'homme et la femme de quarante ans sont sûrs d'eux-mêmes, confiants en l'ascendant qu'ils prennent facilement sur les autres. Plus philosophes et revenus de beaucoup d'illusions, ils sont plus tolérants et beaucoup plus indulgents pour leurs propres fai-blesses et celles d'autrui. L'intransigeance passionnée de la jeunesse et le cynisme agressif qui l'accompagne souvent, font place à une disponibilité pour des tâches et des réflexions tournées vers l'extérieur.

A quarante ans, on découvre le bonheur de se désintéresser un peu de soi et de s'intéresser beaucoup à mille choses nouvelles.

Mais l'âge de la maturité est le seuil de la vieillesse. Le jeune homme a tout le temps, l'homme mûr sait que le temps passe...

Insidieusement, le processus de détérioration a commencé et le tonus baisse, la souplesse est moins grande, les réflexes moins sûrs : le premier cheveu blanc, la première ride, l'embonpoint qui gagne...

L'angoisse de vieillir est une lourde charge. Nous pensons que ce fardeau est inutile et nous vous convions à ne pas vous en encombrer.

Au XIXe siècle, on passait obligatoirement, à partir de trente ans ou de trente-cinq ans, dans la catégorie des gens âgés. La transition était brutale : on s'habillait de sombre, on adoptait un air grave et sentencieux, on feignait de devenir sage et de renoncer à plaire, ou bien, pire encore, on se résignait à n'être plus capable d'inspirer l'amour.

Aujourd'hui, on a l'âge de ses artères, ce qui signifie que celui qui parvient à se maintenir dans des conditions de santé et d'agilité qui sont le propre des jeunes se sent le droit, et on le lui reconnaît, d'appartenir à ce monde des vivants qu'est la jeunesse.

La jeunesse dure très longtemps pour ceux qui savent ménager le capital santé dont ils disposent.

Craindre de vieillir, n'est-ce pas plus ou moins appeler la décrépitude ?

Beaucoup d'inconvénients que l'on croit inévitables ne sont pas des processus naturels, mais des conséquences de la vie malsaine, sédentaire que nous menons.

menons.

La pratique du yoga ne fera pas revenir en arrière la pendule du temps, mais vous y gagnerez de prolonger considérablement la période féconde et productrice de votre vie, de rester fort et sain dans l'âge le plus avancé, de vieillir avec sérénité et dignité.

Les glandes endocrines jouent un rôle capital dans notre équilibre de santé. D'elles dépendent la souplesse de nos articulations, des vaisseaux sanguins, et l'ensemble de nos fonctions organiques.

Le yoga peut vous éviter de *vieillir mal*. Vous pourrez passer sans heurts d'un âge de la vie à l'autre, en évitant les infirmités, les douleurs et la plupart des troubles qu'on croit à tort une conséquence du vieillissement.

La vie représente un cycle de périodes successives, dont chacune comporte un rythme d'activité et une orientation de l'être différentes.

Le yoga vous rend capable de vivre pleinement chacune de ces saisons de votre existence.

Le yoga est une recherche du bonheur, par le plein emploi de nos possibilités et l'abandon des fardeaux inutiles. A chaque étape de notre vie, notre organisme met à notre disposition des forces en accord avec nos besoins.

Le ralentissement que l'âge impose à l'activité physique est naturel, et ne doit pas nous inquiéter mais être respecté. L'homme âgé a des possibilités de récupération moins grandes que le jeune homme et son allure doit être beaucoup plus modérée.

L'entraînement à l'activité intellectuelle assure une grande longévité de la pensée et des pouvoirs spirituels. C'est à ce propos que l'on peut parler de la supériorité du vieillard, dont la méditation est riche de l'expérience d'une vie.

Les habitudes que le yoga vous donne sont autant de secrets de jouvence.

La méditation et l'entraînement à une discipline de concentration de l'attention, le repos émotionnel, mènent à la sérénité, à la paix intérieure.

L'habitude d'éliminer les éléments négatifs pour faire place aux forces positives développe un optimisme qui est une arme irremplaçable dans le combat de la vie.

Les exercices de contraction musculaire et de décontraction, les exercices de respiration, ainsi que la pratique des asanas entretiennent, dans une disposition harmonieuse, toutes nos fonctions vitales.

Les asanas ont, sur le système glandulaire, une action salutaire.

Les glandes endocrines jouent un rôle complexe dans l'économie de notre organisme. Vous comprendrez mieux le rôle que jouent les asanas par rapport à l'équilibre glandulaire si nous passons en revue quelques-unes de ces glandes parmi les principales.

L'hypophyse : ou glande pituitaire, est la première par son rôle primordial. Située à la base du cerveau, elle secrète des hormones qui régularisent la croissance, les processus de désintoxication et de reproduction. Une carence hypophysaire se traduit par de la paresse, de l'atonie musculaire, l'obésité.

De l'hypophyse dépend l'assimilation du sucre ; une défaillance entraîne le diabète. Elle agit sur l'activité sexuelle et influe sur notre équilibre psychique. Aux troubles de l'hypophyse font écho des dérèglements de la personnalité.

L'épiphyse : ou glande pinéale, est le chef d'orchestre des fonctions organiques. Selon les Orientaux, elle serait le siège d'un sixième sens. Elle est placée au milieu du crâne.

La thyroïde :

est située à la base du cou. C'est de la thyroïde, et de l'hormone qu'elle produit : la thyroxine, que dépend l'activité ou le ralentissement de l'oxydation de nos réserves. Le métabolisme, c'est-à-dire l'ensemble des transformations chimiques qui s'opèrent dans notre corps, est régularisé par la glande thyroïde.

L'hypothyroïdien est inerte, nonchalant, gras. L'hyperthyroïdien est nerveux, agité, hypertendu.

Un certain déséquilibre thyroïdien se manifeste souvent, à l'âge critique, pour les femmes. La cellulite apparaît, par suite de la rétention d'eau dans les tissus. Normalement, cette déficience est provisoire.

La thyroïde a une importance considérable, tant du point de vue physique que du point de vue mental. Sa voisine, la parathyroïde, contrôle la répartition du phosphore et du calcium dans l'organisme, dont dépend notre équilibre nerveux et notre résistance au stress émotionnel.

Le thymus :

règle la formation osseuse, la croissance du squelette. Gigantisme et nanisme sont des formes de dysfonctionnement du thymus.

Les îlots de Langerhans :

situés dans le pancréas, produisent l'insuline qui règle l'utilisation du sucre. Le fonctionnement de ces glandes est facilement perturbé par les chocs émotionnels ou les états dépressifs.

Les capsules surrénales :

(situées au-dessus des reins) produisent l'adrénaline.

La stimulation des surrénales par une émotion très vive, comme la peur, la colère, accélère la sécrétion d'adrénaline, qui afflue alors dans le sang. Il s'en suit des phénomènes désordonnés : battements de coeur, sueurs, nausées, troubles visuels.

L'habitude de la vie en société nous a rendus capable de surmonter nos émotions ou notre angoisse au point de n'en rien laisser paraître. Nous arrivons à garder notre calme, une apparente impassibilité ; nous savons faire "bon visage". La stimulation des surrénales, du fait de l'émotion ressentie, est d'autant plus intense que les manifestations extérieures de la peur ou de la colère sont réprimées. L'exutoire normal d'une décharge musculaire venant à manquer, l'impulsion à la violence est dérivée dans l'organisme où elle provoque des désordres. Beaucoup de maux, petits et grands, sont provoqués par cette répression de nos émotions. La médecine psychosomatique s'est attachée à les comprendre et à les traiter. Bien souvent, une véritable rééducation de la faculté de s'exprimer est nécessaire, et possible.

Une meilleure connaissance de nous-même, que la pratique et l'approfondissement du yoga procurent, nous rend plus apte à dominer nos émotions tout en les éprouvant consciemment.

Les glandes sexuelles : (les ovaires chez les femmes, les testicules chez l'homme) ont une importance bien connue et qui s'étend à l'ensemble de la personnalité.

Certains êtres ont un rayonnement chaleureux, une "présence", un art d'attirer la sympathie qui ne sont ni plus ni moins qu'une activité naturelle du fonctionnement hormonal des glandes sexuelles.

Les déficients glandulaires sont souvent parcimonieux, timorés et repliés sur eux-mêmes.

Ces caractéristiques de la personnalité, en rapport direct avec la carence ou l'harmonie des fonctions glandulaires ne sauraient expliquer "tout l'homme". Nous dépendons d'une infinité de conditions intérieures et extérieures. Mais l'équilibre glandulaire est un puissant atout dans la recherche du bonheur.

Les exercices du yoga ont une action profonde sur les glandes endocrines qu'elles stimulent naturellement sans les suractiver.

N'attendez pas que les asanas guérissent les troubles dont vous pouvez être atteints. L'entraînement habituel restaurera votre équilibre naturel et multipliera vos disponibilités physiques et mentales. Ne négligez pas, pour autant, de confier à votre médecin le soin de traiter les maux dont vous pourriez souffrir.

Une des conditions du dynamisme vital c'est l'adhésion de la pensée, l'accord intérieur de l'affectivité avec l'élan qui nous pousse à vivre.

Tournez vos pensées vers l'espoir, la bienveillance, arrêtez votre imagination sur des représentations heureuses et belles ; votre potentiel s'améliorera et vous serez amené sans effort vers des réalisations.

L'âge venant, il faut savoir modérer sa dépense d'énergie, diminuer sa nourriture, éviter les fatigues et le surmenage. En contrepartie, l'activité restera intacte et vous disposerez, pour de longues années, de vos facultés en pleine santé.

22

UNE SÉRIE «MINUTE» POUR GENS PRESSÉS

**Salut au soleil
(Suryanamasakra)**

Namaskar veut dire salut en sanscrit, c'est le geste que vous avez peut-être remarqué, des deux mains jointes l'une contre l'autre, doigts allongés, qui signifie le souhait que poliment et implicitement formule votre interlocuteur de vous voir en paix avec vous-même et avec lui dans l'accord des deux principes positifs (main droite) et négatif (main gauche) réunis.

Quant à Surya, le soleil, ne craignez pas que ce soit un geste d'adoration païenne envers l'astre du jour. Il indique la direction face à laquelle on doit se mettre pour bénéficier de la force et de la lumière des rayons solaires en même temps que la concentration de pensée sur le foyer lumineux éclairant le monde, image seulement approximative de la Lumière divine dont chaque homme cherche à s'approcher, consciemment ou non. Les mots dieu, divin, étymologiquement, viennent de la racine : diva, signifiant "lumière".

Cela dit, il s'agit plus prosaïquement d'un exercice demandant le maximum de flexion et d'extension de la colonne vertébrale, comparable aux étirements de votre chat ou de votre chien qui, plus naturels que vous, ne négligent pas de mobiliser leurs vertèbres, le plus souvent possible, au détriment éventuel de vos tapis ou coussins mais pour le plus grand bien de leur santé et de leur souplesse.

Cet exercice comprend dix phases, s'enchaînant sans interruption. Il est quelquefois décrit avec une ou deux variantes ; nous vous le transmettons tel que notre premier instructeur nous l'a appris.

Il associe, dans un mouvement composé, le souffle et les asanas.

Il se pratique face au soleil levant ou face au soleil couchant. L'orientation est un facteur souvent mentionné, mais dont la plupart du temps nous ne tenons pas compte.

Il possède, parmi d'autres avantages que nous examinerons plus loin, celui de pouvoir être pratiqué à la mer ou à la montagne, sans souci du "qu'en dira-t-on". La salutation n'est pas suffisamment étrange pour attirer les sourires et les moqueries, susceptibles de freiner votre enthousiasme de futur yogi ou yoginie.

Description de l'exercice

Attitude de départ

Debout, le corps droit, les pieds joints, le ventre rentré, les mains devant la poitrine, doigts allongés et joints, le regard fixé devant vous, visage détendu. Expirez.

1) Portez les mains jointes au-dessus de la tête, en allongeant bien les coudes ; étirez les bras le plus haut possible, les mains toujours paume contre paume. Inspirez ;

2) Séparez les mains et tournez les paumes en avant. Sans fléchir les genoux, courbez lentement le corps en avant, en expirant. Placez les mains à terre, de chaque côté des pieds, les doigts à la hauteur des orteils. Touchez les genoux avec le front ;

3) Prenant appui sur les mains, fléchissez les genoux et portez la jambe gauche en arrière, bien tendue, la tête levée. Commencez une nouvelle inspiration,

que vous poursuivez tout en plaçant, à son tour, la jambe droite le long de la jambe gauche, les deux pieds joints ;

4) Sans bouger de place les mains ni les pieds, poussez sur vos bras tendus pour essayer de mettre les pieds le plus à plat possible. Retenez le souffle ;

5) Toujours sans bouger les mains ni les pieds, plongez en avant, le visage et la poitrine au ras du sol, en fléchissant les bras. Les genoux ne touchent pas terre sauf pour vous mesdames, qui êtes autorisées à le faire. Tout le poids du corps repose sur les mains et les pointes des orteils. Expirez dès le début de ce plongeon.

6) Redressez le buste, bras tendus, en inspirant. Bombez bien le torse, jambes tendues ;

7) Poussez, de nouveau, sur les bras, revenez les pieds à plat, le corps très en arrière; la tête entre les bras. Retenez le souffle ;

8) Fléchissez la jambe gauche dont le pied revient en avant entre les deux mains et à leur hauteur. Commencez à expirer ;

9) Ramenez à son tour la jambe droite à côté de l'autre. Redressez les jambes, mains au sol, tête contre les genoux. Expirez à fond ;

10) Relevez le buste, les bras tendus comme phase 1 et cessez. Inspirez et expirez profondément deux ou trois fois.

Puis, recommencez la série complète.

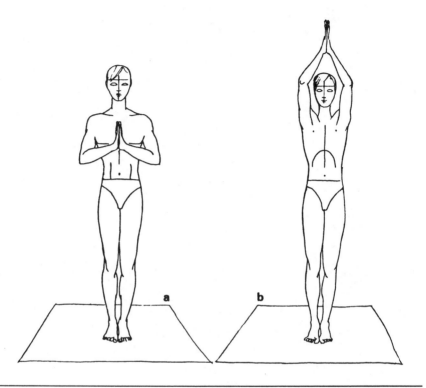

a   b

A   B

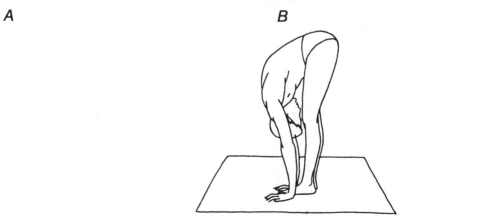

C

D

E

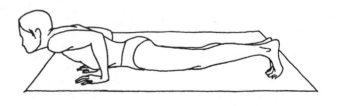

F

G

H

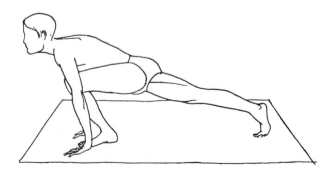

I

J

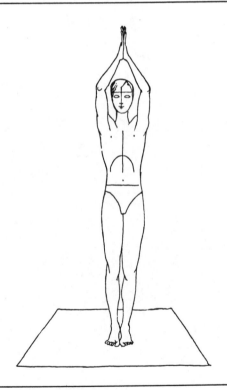

K

Difficultés et avantages

Difficultés

Nous allons essayer de résoudre, ensemble, les problèmes qui se posent à beaucoup d'entre vous, à certaines phases.

Lisez d'abord bien le texte et comparez avec les dessins. Ne vous préoccupez pas, pour le moment, de la respiration. Essayez, même maladroitement, les différentes phases, en vous rappelant de ne pas faire de compétition.

Phase 1.

Nous présumons que cette phase de départ n'offre pas d'inconvénients. Surveillez simplement la rectitude de votre attitude, soyez tendu comme une flèche. Allongez-vous vers le haut.

Phase 2.

Ceux qui ne pourraient mettre, d'emblée, les mains au sol, comme indiqué, doivent se contenter de faire de leur mieux, genoux tendus, en baissant bien la tête, sans élan ni effort démesuré, puis, fléchir les genoux pour passer à la phase suivante.

Phase 3.

La flexion des genoux vous permet de poser les mains à terre. Allongez bien la jambe gauche, très en arrière, ainsi que l'autre.

Phase 4.

Vous ne pouvez pas mettre les pieds à plat mais, encore une fois, faites de votre mieux. Tirez bien sur les muscles des jambes.

Phase 5.

Beaucoup de femmes, aux bras insuffisamment musclés, auront intérêt à sauter cette phase de flexion des bras et passeront directement à la phase suivante.

Phase 6.

Sans difficultés.

Phase 7.   Nous retrouvons la phase 4.

Phase 8.   Selon les aptitudes et la morphologie de chacun, il lui est plus ou moins facile de remettre le pied entre les bras. Lancez votre genou, très fléchi, en vous soulevant sur les doigts des mains.

Etudiez votre mouvement, de façon à diminuer la distance entre pieds et mains, sans cela vous aurez du mal à vous relever.

Que les premiers échecs ne vous rebutent pas. Nous avons vu des personnes de tous âges et de toutes tailles y parvenir.

Phase 9.   Lorsque les deux pieds sont joints, n'oubliez pas de tendre les genoux comme pour la phase 3, avant de redresser le buste ; ceux qui ne peuvent, pour l'instant, faire autrement, abandonneront, en même temps, l'appui des mains au sol.

Phase 10.   C'est le point final, avant de recommencer. Vous êtes essoufflé. Reprenez votre souffle, sans effort, et, lorsque tout est rentré dans l'ordre, recommencez à l'attitude de départ.

Dès que vous commencez à vous familiariser avec cet exercice, même modifié suivant votre maladresse, reprenez-le avec la respiration indiquée à chaque temps.

L'assimilation de la salutation au soleil vous demandera peut-être quelques jours. Sans vous fatiguer et en vous reposant après un cycle complet, recommencez-la, d'abord trois fois, puis augmentez d'un cycle par semaine, de manière à faire cinq cycles sans peine. Cela vous prendra environ trois à quatre minutes, mettons cinq, en comptant le repos intermédiaire.

Une personne jeune peut arriver à 15 ou 25 cycles, ce qui remplace une séance complète, mais il n'est pas utile d'aller jusque-là : cela exciterait en vous le désir de vous dépasser, qui n'est pas souhaitable.

Avantages

- Avec les Hindous, nous considérons cet exercice comme l'un des plus importants parce que le plus complet. Il agit sur l'ensemble du corps, régénérant la musculature comme la tonicité de la colonne vertébrale et sa souplesse, régularise la circulation sanguine, permet une maîtrise du souffle parfaite, masse profondément les organes internes (foie - intestins - vésicule) dans les phases 2, 3, 6, 8 et 9.

- Réveil matinal idéal, il prépare aux autres asanas et les remplace éventuellement, lorsqu'on n'a pas le temps de faire autre chose.

- Pour les sportifs, c'est un échauffement complet, qui leur évitera des claquages musculaires.

- Pour les moins forts, il permet une récupération musculaire des bras et du thorax, exceptionnelle ; notamment par l'entraînement aux phases 5, 6 et 7, répétées dix fois et plus, à votre gré. On nous a cité un yogi hindou qui s'est adonné à la salutation complète, 3 000 fois sans arrêt, soit environ 48 heures, sans dormir ni manger. Ne croyez pas qu'il s'agisse d'une performance, au sens sportif du mot, mais plutôt d'une sorte de mortification, décidée par l'intéressé, ce à quoi nous ne vous convions nullement. Notons quand même, en passant, qu'il s'agissait d'une sorte de super-athlète.

Contre-indications éventuelles

Si vous souffrez d'une malformation vertébrale, telle qu'affaissement ou pincement d'un disque (partie fibreuse séparant les vertèbres), les flexions avant des phases 2 et 9, ou les extensions des phases 3, 6 et 8 vous sont déconseillées, de même que dans les cas de sciatique.

De toute façon, d'une manière générale, nous vous le rappelons : à part les postures assises, aucune posture ne doit être essayée, pendant une crise maladive quelconque, sans les conseils directs d'un spécialiste.

Pratique

Comme pour toutes les postures, il n'y a pas d'heure spéciale pour utiliser la salutation ; cependant, de préférence, elle peut servir à notre réveil matinal, avant une séance complète de postures, ou le soir, avant le dîner, pour la même raison. Lorsque vous avez recommencé le cycle trois ou cinq fois ou plus pour les mieux exercés, reposez-vous sur le dos, dans la posture du grand repos. (A1).

Beaucoup d'ouvrages sur le hatha yoga indiquent cette série de postures avec des variantes, car il en est plusieurs. En effet, exception faite des attitudes de passage, vous retrouverez quatre postures classiques de yoga. Mais, en principe, il est erroné de considérer cette série comme faisant partie du hatha yoga parce qu'elle n'en respecte pas le rythme statique.

Laissons cette objection aux puristes et intégrons ces postures successives suivant nos besoins. Rien ne vous empêche d'ailleurs de pratiquer lentement en vous arrêtant pendant plusieurs respirations sur chaque attitude, le travail n'en sera à notre avis que meilleur et nous préparera, comme nous l'avons dit, aux autres attitudes en échauffant nos muscles raidis.

Bien que nous soyons d'accord sur le fait qu'en yoga il n'est pas besoin d'échauffement préalable, comme pour un sport, puisque chaque posture est travaillée indépendamment, doucement et progressivement sans qu'il soit nécessaire d'échauffer le muscle autrement que par le travail lent que vous lui imposez sans désir de réussite.

Vous avez peut-être noté, avec étonnement, que nous disons de garder le souffle pendant certaines phases. Nous admettons, exceptionnellement, ces rétentions très courtes, car elles sont naturelles. Il va de soi que la respiration utilisée est la respiration contrôlée avec le bruissement de l'arrière gorge.

Curieux conseil d'un GURU (maître spirituel indien)

A l'issue d'une séance d'enseignement de yoga dirigé par un maître hindou, celui-ci posa à ses élèves une question assez étonnante pour un yogi s'adressant à de futurs yogis :

"A votre avis, leur demanda-t-il, au cas ou vous n'auriez pas le temps de faire une séance, quel exercice pourrait la remplacer ?"

Connaissant le peu de valeur que les Orientaux attribuent au temps, cette interrogation peut en effet surprendre.

Les réponses que donnèrent les élèves, pas tellement décontenancés par la question, furent assez diverses selon leur orientation personnelle. La plupart, toutefois, citèrent le "salut au soleil" qui semble, en effet, être une synthèse assez complète. D'autres parlèrent de respiration ou des quatre postures principales, citées page 347, chapitre 25.

Le maître yogi leur répondit :

"Bien sûr, le salut au soleil est excellent, mais pour vous vitaliser et entretenir votre système musculaire rapidement, il y a mieux encore".

Et il leur expliqua l'exercice suivant :

La contraction totale

Préparation

Debout, les jambes écartées, les bras tombant le long du corps, les pieds bien à plat sur le sol, inspirez profondément en plaçant les bras en croix.

Exécution

1) Expirez lentement en portant le poids du corps sur la jambe droite fléchie. En continuant l'expiration, contractez tous les muscles de votre côté droit, le

poing serré, le coude replié. Tout votre côté gauche - le bras allongé le long du corps - reste détendu et souple.

2) En inspirant et en vous décontractant, revenez à la position de départ. Expirez lentement en fléchissant sur le côté gauche que vous contractez à son tour, laissant le côté droit détendu.

3) Redressez le corps en relâchant vos muscles. Inspirez. Mettez vos bras en croix, le torse très légèrement penché en avant, commencez une longue expiration et contractez successivement tous les muscles des bras, des épaules, du cou, de la poitrine, du dos, de l'abdomen, des cuisses, des jambes, des pieds. Au fur et à mesure de cette contraction-expiration, fléchissez légèrement les genoux et croisez les bras en les remontant vers la poitrine ;

4) Revenez à votre position de départ en vous décontractant. Recommencez trois à cinq fois de suite cet exercice, puis détendez-vous en position de grand repos A1.

Nota : Nous vous recommandons tout particulièrement, Mesdames, de travailler d'abord la contraction du poing (le pouce ramené à l'extérieur sur les autres doigts et jamais couché sous les doigts repliés), puis celle de l'avant-bras, du bras et des épaules, en essayant de prendre conscience du gonflement et du durcissement de leurs muscles, avant d'aborder la phase de contraction musculaire totale. L'apparente brutalité de la posture ne risque d'ailleurs, en aucun cas, de développer exagérément la musculature.

Respiration   Respirez à votre guise, sans vous astreindre à suivre un rythme quelconque.

Concentration

Fixez votre pensée sur une contraction musculaire et une expulsion d'air aussi complète que possible.

Action

Cette contraction totale est extrêmement dynamisante.

Elle secoue efficacement la torpeur consécutive à un travail intellectuel ou manuel sédentaire.

Elle consiste une excellente mise en train matinale. N'avez-vous pas le temps de faire votre séance normale de hatha yoga ? Dix contractions complètes en sont le meilleur succédané.

Si vous craignez un début de refroidissement, pratiquez aussitôt une contraction. Vous provoquerez alors que réaction calorifique des plus salutaires.

Les hypertendus éviteront de se livrer à cet exercice.

23

UNE SÉRIE «MINUTE» POUR GENS FATIGUÉS

Après le salut au soleil assez dynamique et, pour certains, malaisé, nous vous proposons une série plus douce assez peu connue et qui mériterait de l'être plus pour de multiples raisons.

Ces exercices, sorte d'essorage de la colonne vertébrale, activent la circulation sanguine générale, massent doucement les vertèbres, favorisent la digestion.

Apparemment, ils ne comportent aucune contre-indication particulière, ne nécessitent ni efforts douloureux ni qualités gymniques spéciales.

Leur nom vient de ce qu'ils simulent très approximativement les "mouvements du crocodile rampant dans la boue après son repas".

Bien que l'approximation soit très douteuse, cela n'enlève rien à son intérêt.

Exceptionnellement, comme dans le salut au soleil, chaque torsion commence par une inspiration gardée quelques secondes jusqu'à la fin de la deuxième rotation, et suivie par une ou deux respirations calmes et amples.

Cette dérogation à l'opinion exprimée quant à la rétention du souffle pendant les postures peut vous surprendre là encore.

Cependant, vous verrez que cette "série" n'est autre qu'une reproduction méthodique des étirements auxquels nous nous livrons quelquefois au saut du lit, et dont, au cours de la journée, nous réprimons le besoin par politesse ou respect humain.

Observez-vous un matin au lever : vous bâillez en tirant les bras, le corps. Le bâillement n'est qu'une large inspiration suivie d'un temps d'arrêt respiratoire. C'est un réflexe naturel, non une contrainte artificielle.

Il est conseillé d'exécuter les exercices de ces séries les yeux fermés. Notons que beaucoup de maîtres préconisent la pratique des postures les yeux clos.

Les premiers mouvements s'exécutent sur le dos en posture du repos total.

Les torsions du crocodile

Partant de cette position sur le dos :

1) Croisez le pied droit par-dessus le gauche (sur le cou-de-pied). Etendez les bras en croix au niveau des épaules, les paumes des mains à plat sur le sol. Inspirez amplement, gardez (et non "retenez") le souffle. Tournez les hanches de droite à gauche et de gauche à droite, deux fois de chaque côté. Les épaules restent collées au sol, la tête droite immobile, le menton légèrement rentré. Détendez-vous en expirant, respirez deux ou trois fois amplement ;

2) Recommencez après avoir croisé le pied gauche sur le cou-de-pied droit ;

3) Placez le talon du pied droit sur les orteils du pied gauche. Inspirez calmement, gardez le souffle, tournez les hanches à droite et à gauche et expirez - deux fois de chaque côté. Les pieds touchent si possible le sol à chaque torsion. En tournant les

pieds à droite on tournera aussi la tête à gauche et vice versa. Ainsi les vertèbres sont massées doucement par ce mouvement en vis. Les bras sont toujours en croix ;

4) Recommencez le même exercice avec le talon du pied placé sur les orteils du pied droit ;

5) Croisez le pied droit par-dessus la jambe gauche, la plante du pied sur le sol, la face externe de la cheville contre le genou. Inspirez calmement, gardez le souffle et tournez les hanches, comme précédemment, vers la gauche. Le genou droit touchera le sol si possible, tandis qu'on tourne la tête vers la droite, les épaules restant collées au sol. Alternez plusieurs fois d'un côté à l'autre ;

6) Pratiquez le même exercice en croisant le pied gauche par-dessus la jambe droite.

7) En fléchissant les genoux, ramenez les deux pieds contre les cuisses (aidez-vous des mains). Inspirez calmement, gardez le souffle, tournez les jambes ainsi fléchies d'abord vers le côté droit, puis le gauche, expirez.

Les genoux serrés l'un contre l'autre touchent alternativement le sol de chaque côté.

Recommencez trois ou quatre fois ;

8) Repliez les jambes contre la poitrine, les bras entourant les genoux. Roulez de droite et de gauche en vous servant des coudes comme support. Vous pouvez ensuite vous balancer, de même d'avant en arrière. Cet exercice est aussi pratiqué avec le souffle retenu quelques secondes ;

9) Allongez les jambes, les pieds réunis. Croisez les doigts, les paumes des mains tournées vers l'extérieur, les bras tirés.

Inspirez amplement et, pendant la rétention, faites un large cercle avec les bras allongés en commençant par la droite, allez en arrière très loin derrière la tête, revenez vers la gauche, expirez.

Recommencez en tournant les bras vers la gauche. Tout le corps est étiré pendant la durée de l'exercice ;

10) Mains jointes, doigts croisés, les bras tirés derrière la tête, inspirez en gonflant le ventre, gardez le souffle.

Soulevez les mains et les pieds légèrement au-dessus du sol et roulez de droite à gauche sur le sol.

Après chaque exercice, on peut se détendre quelques instants et pratiquer les "soubresauts du poisson".

11) Le dernier exercice de cette série est pratiqué en position assise. Soit en lotus, si l'on sait prendre cette position ou en demi-posture ; soit simplement jambes croisées, voire à genoux.

Posez les mains sur les genoux, le dos droit, inspirez, gardez le souffle et roulez les épaules, la droite puis la gauche, d'avant en arrière et d'arrière en avant quelques secondes, sans effort de rétention respiratoire.

Expirez, respirez quelques instants calmement et recommencez avec les deux épaules en même temps, d'avant en arrière et d'arrière en avant.

Cet exercice est excellent pour les articulations ankylosées. Il peut être pratiqué en haussant les épaules l'une après l'autre et en même temps.

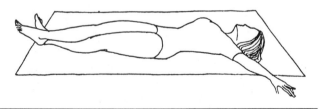

A

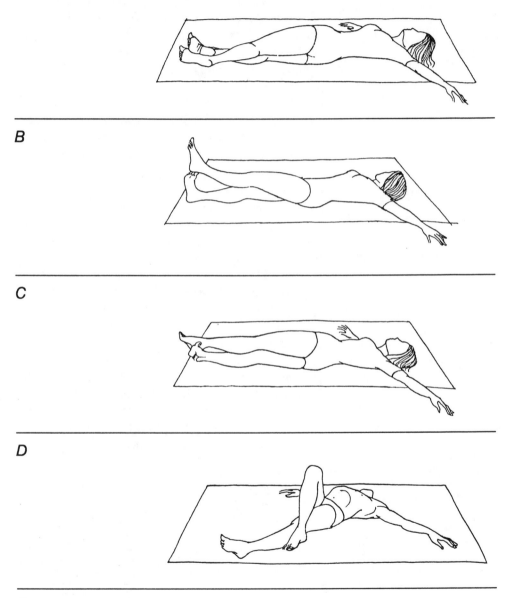

B

C

D

E

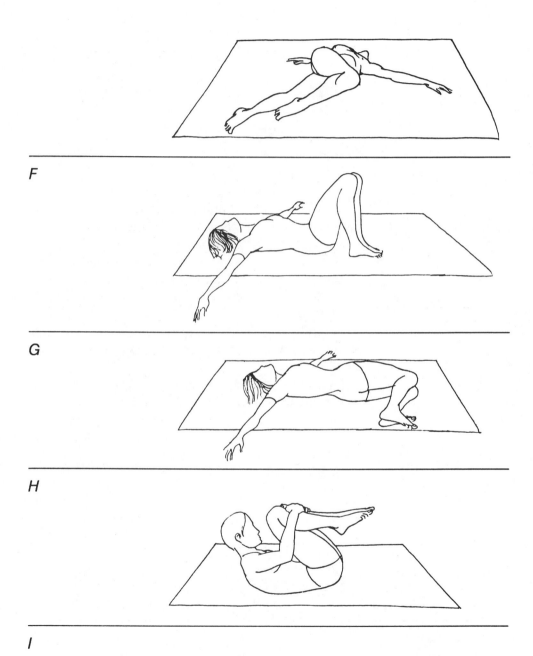

F

G

H

I

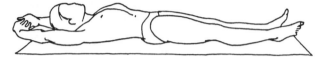

J

Cet ensemble de pratiques est souvent considéré par les maîtres yogis comme la préparation à une séance complète de postures.

Pour nous, il est une mise en train, sélectionné parmi de nombreuses autres et qui a le mérite d'être à la portée de tous en ne demandant qu'un minimum de temps.

Vous pouvez vous y exercer le matin ou le soir avant de vous coucher pour vous préparer au sommeil.

A moins que vous ne les insériez dans l'une des séries que vous trouverez dans cet ouvrage.

24

LE YOGA ET L'AMOUR

Parmi les idées fausses, ou du moins très in-complètes, qu'on se fait souvent des adeptes du yoga, il faut citer cette représentation du yogi voué à une abstinence quasi éthérée, se nourrissant à peine et pratiquant une chasteté absolue.

Rien de plus éloigné de la véritable signification du yoga qu'un idéal d'ascétisme obligatoire. Le yoga donne à la liberté sa véritable dimension et chacun est amené à découvrir qu'il est maître de vivre sa propre vie, d'imprimer à sa destinée son style personnel correspondant aux besoins naturels de son individualité.

Celui qui se dirige vers l'ascétisme et la méditation spirituelle, le fait par un choix délibéré qui n'implique pas la haine des appétits naturels.

Le respect pour le corps et la familiarité avec notre force vitale que la pratique du yoga développe, amènent tout naturellement à comprendre que l'instinct sexuel, l'un des dynamismes les plus forts de l'être vivant, est une source de bonheur.

Une chasteté imposée, soit par les conditions contraignantes du monde extérieur, soit par la force d'interdits qu'une éducation mal conduite n'a pas permis de dépasser, peut avoir des conséquences pathologiques, créer des conflits intérieurs qui engendrent des troubles physiques et mentaux.

Mais, parallèlement à ce danger, qu'il ne faut d'ailleurs pas exagérer, une surexcitation de l'imagination, une sollicitation continuelle des sens et de l'émotion érotique créent un climat de tension, une surenchère qui pervertit et dérègle l'appétit naturel.

Ce *trop* et ce *trop peu* sont à l'origine de bien des perturbations dont souffrent tant d'êtres humains autour de nous.

La méditation du yoga, centrée sur les actes les plus simples : marcher, lever, ouvrir, fermer les yeux, etc., et la pratique des postures dont chacune est un petit chef-d'oeuvre que l'on réussit dans hâte, sans escamoter le moindre détail, sont un irremplaçable apprentissage. Nous retrouvons le sens profond, la valeur vraie de nos fonctions vitales.

Le yoga est *union*, union avec soi-même, union harmonieuse avec le monde, union avec un autre être en qui nous trouvons la partie complémentaire de nous-même. L'accord charnel entre l'homme et la femme est une des formes les plus nobles et les plus chargées de signification symbolique de cette harmonie que nous cherchons inlassablement à réaliser.

En Inde, le voyageur s'étonne de voir sculptées, sur la façade et les parois d'un temple, des fresques représentant des couples enlacés dans des positions que nous avons tôt fait de qualifier d'obscènes.

Les Orientaux ont, des plaisirs de la chair, une idée si noble qu'ils ont poussé l'art d'aimer beaucoup plus loin que ce que le libertinage ou les perversions occidentales ont cru atteindre.

Quand l'accouplement est compris comme une réalisation complète de l'être, corps et esprit, il n'est pas de limites aux plaisirs des corps et à la félicité de l'âme. L'Hindou accorde au mariage une valeur, une importance, une solennité dont nous n'avons qu'une faible idée.

La psychologie moderne, renforcée par les certitudes que la pratique de la médecine psychosomatique a permis d'établir, affirme qu'un des besoins profonds de notre être consiste à trouver une possibilité de libre-échange avec les autres êtres. La perfection de cet échange, qui consiste à donner et à recevoir, est réalisée dans l'amour tendance élective vers un seul être qui nous complète.

La sensualité rétablie dans ses droits, rendue à sa fonction naturelle, va épanouir en nous des forces créatrices et bénéfiques, un dynamisme constructif.

C'est là qu'on peut citer le mot de "sublimation", introduit par Freud, pour nommer un mécanisme de déplacement de l'énergie instinctuelle vers un but social élevé.

Le yoga est une école de modération qui permet d'utiliser nos forces, nos pulsions instinctuelles sur des plans multiples, selon la complexité de notre nature.

Notre capital vital se renouvelle, au cours de notre vie, selon le processus incessant de réparation organique : les cellules mortes sont éliminées, des cellules vivantes les remplacent. De même nos forces s'usent, se dispersent quand l'effort, l'émotion, la souffrance mobilisent notre énergie, et renaissent en forces neuves.

Il est bon de savoir économiser ce capital-vie, dont la récupération, au fil des années, se fait plus lente et de plus en plus incomplète.

Les yogis de l'Inde enseignent que l'éjaculation représente une immense déperdition d'énergie, que le Sage peut apprendre à canaliser cette énergie afin de l'utiliser sur des plans différents.

Ce que l'on a appelé l'étreinte réservée, quand le partenaire masculin retarde, par un effort de volonté, l'émission séminale, trouve sa justification dans les techniques savantes de l'amour oriental.

Il s'agit, alors, non pas seulement d'un effort négatif dans un but contraceptif, par exemple, mais d'une disposition volontaire qui permet d'amplifier au bénéfice de l'ensemble de la personnalité, la formidable mobilisation d'énergie que déclenche l'union charnelle.

Cette utilisation dynamique des forces, qui sont en même temps exaltées et contenues, permet à l'homme, comme à la femme, de l'élever au-dessus de la recherche de son propre plaisir pour rejoindre la ou le partenaire dans une union de plaisir partagé, un accord profond des coeurs et de l'esprit.

Cette diversité des plans où l'énergie sexuelle peut rayonner et se manifester est un des privilèges de l'espèce humaine.

Nous donnerons en exemple le cas assez émouvant d'une femme qui écrivait, dans un quelconque "courrier des lecteurs", en réponse à une enquête sur la frigidité féminine :

"On parle beaucoup de grand frisson sexuel qui, paraît-il, est une des conditions primordiales du bonheur. Je ne crois pas l'avoir jamais éprouvé. Pourtant je suis heureuse."

"Rendre mon mari heureux, me donner à lui pour son plaisir et partager avec lui sa joie reconnaissante, pour moi, c'est le bonheur."

On comprend que cette femme a su, par-delà le silence de ses sens, atteindre à une union réelle.

Le symbole sacré de la sexualité mâle, le serpent, nommé en Inde Kundalini, est décrit dans les textes religieux hindous d'une façon qui rappelle beaucoup le serpent de la Genèse.

Dans la Genèse, le serpent incarne le Malin et, lové dans l'arbre de la Connaissance, il appelle Eve, et l'incite à satisfaire un mouvement de gourmandise coupable qui aura des conséquences désastreuses.

En Inde, Kundalini est représenté endormi. S'il s'éveille et ne s'élève pas plus haut que le simple assouvissement d'un désir animal, il incarne le Mal. S'il se dresse jusqu'à la hauteur du coeur et de la tête, il donne la connaissance du Bien.

Le potentiel sexuel est une des richesses de la nature humaine. Les êtres dont l'énergie est négative, l'homme impuissant, la femme frigide, qui s'enferment derrière des obstacles infranchissables, peuvent trouver dans le yoga une issue vers une libération.

Certains exercices purifient, embellissent l'impulsion sexuelle qui retrouve sa forme naturelle d'énergie positive. D'autres stimulent l'être trop passif, l'aident à sortir de son inertie et à trouver une attitude plus généreuse, plus active à l'égard de sa compagne ou de son compagnon.

Nul ne conteste plus l'importance capitale de l'accord sexuel, physique, dans un couple. Que de mariages ratés, devenus simple association de deux conjoints résignés ; que d'unions brisées pour des raisons plus ou moins valables... A l'origine, dans beaucoup de cas, il y a un échec à l'accord sexuel.

Donner au problème de la santé sexuelle toute son importance, c'est reconsidérer l'ensemble de la personnalité. L'impuissant physique est aussi un impuissant moral, qu'elles que soient les attitudes d'autoritarisme compensatoire qu'il s'efforce de prendre.

Un tel homme, s'il parvient, et le yoga peut l'y conduire, à retrouver la libre disposition de ses forces sexuelles, trouvera des dimensions nouvelles de sa personnalité ; il deviendra ce qu'il était destiné à être.

La médecine a recours aux hormones pour rétablir les réactions sexuelles perturbées. Les résultats sont variables et, dans l'ensemble, décevants.

Le yoga propose la seule méthode de régénération totale de l'être. La pratique des asanas se révèle des plus efficace pour surmonter les difficultés d'ordre sexuel.

La posture du "corps entier" A14, pratiquée habituellement, stimule l'hypophyse par l'afflux du sang vers la tête qu'elle provoque. Il s'ensuit une sécrétion d'hormones plus active.

Développer la puissance génésique, la prolonger dans un âge avancé, ou contrôler et régulariser des désirs trop violentes et obsédants... Quel que soit le problème qui se pose à vous, l'exercice du yoga vous aidera à le résoudre.

Une activité sexuelle normale et saine a des répercussions sur l'ensemble des relations humaines. La tolérance, la compréhension sont le privilège des êtres sexuellement épanouis.

On connaît le mythe platonicien : nous sommes à la recherche de l'autre moitié de nous-même, aussi unique que nous le sommes, et qui seule nous apportera le complément de notre nature.

En Chine, selon un mythe analogue, on raconte que les êtres sont, de toute éternité, destinés l'un à l'autre. Il faut à chacun chercher celui ou celle à qui le relie un fil ténu. Ce fil fragile ne doit pas être coupé, ou cassé...

Le yoga nous enseigne un réalisme qui préserve des illusions. L'accord sexuel est nécessaire, il est possible ; il s'obtient par une libération et un contrôle des forces instinctuelles, par un usage dont l'impulsion sexuelle fait partie.

Développer l'activité sensorielle, découvrir la valeur de toutes les sensations est une étape importante vers le bonheur et la santé.

Chaque réalité physique a sa correspondance au niveau mental et spirituel. Le bon usage des plaisirs d'une sensualité naturelle, dont la gamme est très riche, mène à découvrir l'amour pour tout ce qui est vivant, les beautés de l'univers ; l'énergie spirituelle accrue conduit à explorer le domaine des idées, de l'art, des sciences.

La force vitale s'épanouit librement en nous, source de toutes les joies.

Le yoga ouvre à la méditation des niveaux successifs :

Maitri est l'état d'amitié envers ceux qui sont en pais,

Marna est une compassion pour ceux qui vivent dans l'inquiétude,

Mudita est la joie à cause de tous ceux qui pratiquent la vertu,

Upeksha est l'indifférence à l'égard des méchants, dont on espère qu'ils seront pardonnés.

Ces pensées, qui occupent le Sage et nourrissent la réflexion de tous ceux qui tendent à s'améliorer, sont des sentiments positifs. Ils créent en nous une effervescence dynamique et constructive.

25

L'ASANA ROYAL

Après les trente postures que vous avez étudiées et qui représentent à quelques chose près toute la gamme des attitudes fondamentales, il nous reste à décrire une posture considérée, tout autant que l'asana A14, comme essentielle.

Cette posture est le célèbre "Shirsh asana" ou attitude "de la tête" qu'on ne saurait pratiquer sans lui adjoindre la posture "du corps entier" (A14).

Elle jouit en Inde d'un prestige particulier. Notons, en passant, qu'elle ne figure pas dans le système pourtant très compliqué des postures du yoga tibétain. On s'est interrogé sur cette particularité, qu'on s'explique à peu près par la place accordée à certaines respirations complémentaires.

Fameuse en Orient, la posture "de la tête" l'est aussi chez nous. Mais hâtons-nous de dire qu'on lui a fait un succès de mauvais aloi : les caricaturistes font rire en représentant l'adepte du yoga "debout sur la tête" et les ignorants ont tôt fait de rejeter l'ensemble des techniques à partir de ces simplifications abusives.

Nous avons beaucoup hésité à vous présenter cette posture importante. Nous nous y résolvons en raison de la place de choix qu'elle occupe parmi tous les asanas et en raison des avantages considérables qu'elle procure.

Mais il est indispensable de souligner que la

posture "de la tête" a des inconvénients certains et ne doit être pratiquée qu'avec la plus grande prudence.

Les maîtres yogis, eux-mêmes, signalent les dangers de cet asana qu'ils enseignent à des disciples choisis, dont le savoir-faire est éprouvé.

Avant de vous mettre plus explicitement en garde contre les inconvénients de cet asana, nous devons vous en présenter les avantages qui sont importants.

C'est une des postures les plus difficiles du yoga. Après avoir posé le sommet du crâne sur le sol, le yogi se tient en équilibre, jambes tendues, dans une position rectiligne perpendiculaire au sol, le poids du corps reposant sur la tête et les coudes.

Avantages

Les maîtres anciens et actuels considèrent la posture "de la tête" comme le roi des asanas, la posture "du corps entier" en étant la reine.

Roi et reine, ces deux termes introduisent une notion de complémentarité. Shirshasana (la posture de la tête) serait l'élément positif, qui trouve son complément dans la posture "du corps entier" (sarvangasana).

Ces deux asanas dominent, par leur importance, et représentent, pour beaucoup d'instructeurs, les deux piliers sur quoi repose l'enseignement tout entier.

On les fait parfois figurer obligatoirement dans toutes les séances, qu'elles ouvrent ou qu'elles achèvent. Nous avons vu, aux pages consacrées à la posture A14, que souvent ces deux asanas se succèdent.

Pour un programme complet, mais succinct, de séance on peut faire :

- 1) Posture de la tête (A31),
- 2) Posture du corps tout entier (A14 ou A8),
- 3) Posture de la charrue (A15),

● 4) Posture de l'étirement postérieur (A12).

La posture en station inversée du corps tout entier a sur le système circulatoire et le système nerveux une action stimulante. Les glandes et les organes cérébraux sont irrigués par l'afflux du sang vers le crâne. Les organes des sens bénéficient de cette activation.

La posture "de la tête" améliore et entretient les facultés intellectuelles : mémoire, attention, juste estimation des contrariétés ou des succès, confiance en soi s'épanouissent. La timidité, le sentiment d'infériorité, l'anxiété se dissipent.

Parmi les avantages organiques que l'on tire de la pratique de cet asana royal relevons, dans une liste très longue, l'amélioration de la presbytie due au vieillissement, des troubles visuels consécutifs à un surmenage, des troubles auditifs, respiratoires.

Il est évident que la position déclive favorise la ventilation pulmonaire en modifiant la répartition du poids des organes dans la cage thoracique.

Pour la même raison, le travail du coeur se trouve facilité ; d'où l'effet reconnu de cette posture pour améliorer l'arythmie cardiaque.

Constipation et insomnie ne résistent pas à l'asana "de la tête". S'il faut en croire la tradition, les cheveux grisonnants lui doivent de retrouver leur jeunesse et leur couleur normale.

Nous pouvons constater que les avantages cités ici sont assez voisins de ceux que procure la reine des asanas, la posture A14. Mais celle-ci ne présente pas les inconvénients sérieux de shirshasana, la posture "de la tête".

Inconvénients

Shirshasana est une posture interdite catégoriquement :

● *A toute personne souffrant de troubles infectieux*

ou congestifs localisés dans la région crânienne : ophtalmie, sinusite, otite ;

- *A toute personne susceptible d'hypertension ou d'artériosclérose ;*
- *A toute personne dont les vertèbres cervicales seraient déformées ou atteintes par l'arthrose.*

Certains professionnels et techniciens du yoga, qu'ils soient indiens ou occidentaux, avancent n'avoir jamais enregistrés de cas fâcheux parmi ceux de leurs élèves qui pratiquent le shirshasana.

Nous restons très circonspect et recommandons la plus grande prudence. Cette posture ne peut être pratiquée que sous la surveillance attentive d'un moniteur averti, qu'un acolyte de bonne volonté remplace malaisément.

Nous allons vous la décrire, sans pour autant vous conseiller de vous y essayer. Nous verrons plus loin qu'elle peut être remplacée par des postures plus faciles.

A31 - Posture de la tête (shirshasana)

Plus impérativement que pour les autres attitudes, la perfection est de règle ici pour éviter tout inconvénient.

A31 a

Il existe plusieurs façons de placer les mains et les coudes sur le sol. Nous commencerons par en décrire la façon la plus classique.

Préparation

Agenouillez-vous sur votre tapis après y avoir placé, si celui-ci n'est pas assez épais, une serviette pliée pour mieux amortir le poids du corps.

1) Posez le milieu du crâne, c'est-à-dire la partie située légèrement en arrière du front, et non le front, sur cette serviette ;

2) Entrecroisez solidement les doigts jusqu'au fond des jointures pour que les auriculaires ne se superposent pas mais s'allongent à l'intérieur et à l'extérieur des mains, ceci après avoir enlevé vos bagues si vous en portez.
Placez les tranches des mains du côté des auriculaires sur la serviette, de sorte que les paumes des mains emboîtent l'arrière de la tête (occiput), les pouces allongés le long de la nuque ;

3) Les avant-bras et les coudes s'appuient sur le sol de chaque côté de la tête en formant avec les mains un angle très peu ouvert. La distance entre chaque coude sera d'environ 30 cm, c'est-à-dire celle des deux bords extérieurs des genoux serrés. Cet angle étroit ne facilite pas l'équilibre, mais c'est la vraie position.

Exécution

Après avoir ainsi bloqué la tête, soulevez-vous sur la pointe des pieds. Faites deux ou trois petits pas en avant vers le visage pour tendre les genoux et placez le bassin et le dos à la verticale du sol, la pointe des orteils au sol.

1) Voilà la première position test.

Dans cette attitude, vous serez un peu désorienté la première fois par la sensation de pesanteur sur la tête et la nuque, mais c'est très supportable. Toutefois, si au bout de quelques respirations contrôlées

A31 b

A31 c

vous sentez le sang à la tête, vous éprouvez un vertige, un malaise quelconque, repliez les genoux doucement et reposez-les sur le sol. Restez quelques instants le front sur votre tapis en respirant et relevez-vous assis sur les talons doucement, toujours en respirant. Vous recommencerez le lendemain...

Si cette impression désagréable recommence ou persiste au bout de plusieurs essais, alors cela signifie que la posture, pour des raisons qui vous sont personnelles, vous est contre-indiquée. Ne vous désolez pas, le cas est prévu.

Si, après avoir exécuté cette phase, rien de particulier ne vous gêne, passez à la phase suivante.

2e phase.

Poursuivez votre marche en avant sur la pointe des pieds qui fera reposer le poids principal du corps sur la tête et les avant-bras. A un moment donné de votre progression vous vous sentirez en déséquilibre prêt à rouler sur le dos (si cela vous arrivait ce n'est pas grave, recommencez). Au moment de cette sensation de départ en arrière et pour rétablir l'équilibre, soulevez les pieds du sol, en expirant. La partie est presque gagnée. Assurez votre équilibre en gardant les genoux pliés contre le corps, talons contre les cuisses.

3e phase.

En portant toute votre attention sur la sensation du poids du corps rassemblé sur la tête, la nuque et les coudes, et lors d'une *expiration,* étirez lentement les jambes vers le plafond, pour vous mettre aussi droit que possible sans cambrure des reins ou de la nuque. L'une ou l'autre de ces cambrures dénotent une position de la tête défectueuse.

La première, celle des reins, le point d'appui avec le sol serait trop en arrière du crâne.

La deuxième, la nuque, un point de contact placé

trop avant sur le front.

Dans l'un ou l'autre cas, redescendez et placez mieux votre tête. Le menton est serré contre la gorge dans l'attitude correcte.

Maintien

Aussi impérativement que pour la rétention respiratoire poumons pleins, le maintien de cette attitude doit être *supportable.* Pendant tout le temps de cette dernière phase, étirez le corps vers le haut, de la nuque aux orteils, comme si vous vouliez atteindre le plafond avec le bout des pieds, ou repousser une planche que certains instructeurs placent justement sur les pieds pour vous contraindre à cette élongation, supprimant tout danger d'écrasement des vertèbres.

La première fois que vous la réussirez, vous garderez cette posture pendant trois à dix respirations contrôlées. Approximativement, cela fait de trente secondes à une minute. Au fur et à mesure de votre entraînement, et toujours sous réserve du confort ressenti, augmentez la durée progressivement chaque semaine, d'une demi-minute à une minute, jusqu'à éventuellement quinze minutes, *durée maximum à ne pas dépasser.* D'ailleurs, à moins que vous ne soyez devenu un fanatique, ce qui n'est pas souhaitable, car vous auriez perdu le sens de la mesure, il est peu vraisemblable que vous atteindrez cette durée, d'autant plus que vous n'avez pas que cette posture à prendre.

Fin

En expirant, repliez les genoux et reposez doucement les pieds au sol, puis les genoux.

Restez trois respirations contrôlées, le *front* au sol, les cuisses sur les jarrets, les mains allongées le long du corps vers l'arrière, complètement décontracté (A10 ter).

En inspirant relevez-vous lentement, restez trois respirations assis sur les talons, en posture de la foudre (A10).

Puis, étendez-vous sur le dos et reposez-vous.

Détails complémentaires   Pendant la posture, le poids du corps doit être ressenti comme reposant très exactement au sommet du crâne sur une surface large comme une pièce de 5 francs. Les coudes et les avant-bras ne sont là que pour maintenir l'équilibre et non pour supporter le poids du corps. Tant que vous sentirez plus vos coudes que la tête, votre position sera défectueuse.

La nuque, le dos, les cuisses, les talons se trouveront sur une même perpendiculaire par rapport au sol. Il en sera de même pour le menton, la poitrine, les jambes.

Les épaules seront maintenues aussi éloignées que possible au-dessus du sol. Le ventre légèrement creusé pour bien placer le bassin.

La position convenablement prise vous devez, aussi bizarre que cela vous paraisse, vous sentir léger et en parfait équilibre.

Il est vrai que cette sensation n'est éprouvée que lorsque ayant respecté *tout* ce que nous vous avons dit, vous avez dominé la crainte de tomber, ce qui a pu vous arriver si vous vous êtes entraîné au milieu d'une pièce.

Pour éviter cela, vous pouvez vous faire aider par une personne sympathisante, mais, à moins qu'il ne s'agisse de quelqu'un de compétent, il est préférable de vous en passer afin de ne pas être incorrectement dirigé. Faites-vous confiance à vous-même ou... à un mur, voire, encore mieux, à un *coin* de mur.

Placez votre tête et vos mains au sol à 5 ou 10 cm (pas plus) de ce mur ou de ce coin, ce qui vous évitera le risque désagréable de rouler. Dès que vous

vous sentez sûr de vous, passez-vous de ce tuteur qui vous aura permis de mieux vous corriger.

Tous les efforts d'élévation des jambes ou de retour au sol sont exécutés pendant *l'expiration*. L'inspiration étant réservée aux phases de stabilité, d'immobilité.

Au début, pour "monter" la posture et la "descendre", pliez les genoux ; par la suite, montez et descendez, les jambes allongées partant de la position phase 2 et y revenant.

Tous les mouvements de montée et de descente s'effectueront sans *à coup*, par un déplacement du centre de gravité *sans élan*. Cela nécessite ou sous-entend une souplesse et une force des reins et du dos que procure l'entraînement et la réussite de la posture (A14) du corps tout entier et (A15) de la charrue.

La maîtrise de ces postures est conseillée avant de s'essayer à la posture de la tête.

En elles-mêmes, d'ailleurs, elles sont suffisantes pour compenser l'éventuelle impossibilité de réussir la posture de la tête.

Toutefois, lorsque cette dernière vous sera devenue familière, commencez votre séance par elle, après les deux étirements préparatoires. Il est préférable, en effet, de ne pas être fatigué et d'avoir une respiration parfaitement calme et dosée, ce qui ne serait peut-être pas le cas après une séance.

Après la shirshasana (A31), passez à la posture du corps entier (A14) que vous maintenez *aussi longtemps* que la première.

Cela est obligatoire. En effet, si avantageuse que soit cette posture en elle-même et en raison même de son efficacité et de sa polarité +, si elle n'est pas suivie de sa complémentaire, ses effets en sont modifiés et vous aurez tendance à devenir irritable pour des riens.

Nous en profitons pour vous rappeler cette règle de la polarité + et - à respecter tout au long de cette méthode et qui concerne aussi bien la respiration que la posture.

Si on vous signale qu'une posture est positive et une autre négative, ce n'est pas sans raison et il se trouve que c'est le cas plus que tout autre.

Lors de la description de la A14 (corps tout entier) nous vous avons dit qu'elle était la mère, et la posture de la tête le père, nous avons employé deux autres images roi et reine pour insister sur l'idée du couple inséparable avec, toutefois, une nuance : la posture A14 peut être utilisée *seule*, mais jamais la posture de la tête.

Pour ceux qui ne peuvent ou ne doivent pas l'utiliser

Nous avons dit que votre cas était prévu. Il y a en effet plusieurs solutions de rechange.

Nous venons de vous dire que la posture A14 était suffisante, ce n'est pas dans le but de vous consoler ou d'être plus particulièrement aimable vis-à-vis de nos lectrices que nos lecteurs. Il est parfaitement exact que la posture du corps entier est suffisante.

D'ailleurs, je vous rappelle, si vous n'y avez pas fait attention, que nous avons dit, entre parenthèses, que les yogis tibétains ignoraient cette posture, pourtant leur yoga est extrêmement précis et compliqué. Peut-être ces derniers ont-ils des exercices complémentaires.

Pour obtenir des avantages équivalents à ceux de la posture de la tête, voici deux posture qui n'ont pas d'inconvénients et sont recommandées à tous sans limitation de santé autre qu'habituelle.

**A32 - Posture de
l'extension des pieds
(padottanasana)**

Nous avons déjà vue que pada signifiait pieds et tan : extension. A priori, c'est la description très simplifiée d'une posture qui intéresse, non seulement les jambes, mais le dos et la tête. Vous allez en juger.

Première phase

Préparation

Debout, mains aux hanches ; selon votre souplesse, écartez largement les jambes tendues, les pieds parallèles l'un à l'autre. En expirant, placez les deux mains à plat sur le sol entre les pieds, les mains séparées de la largeur des épaules.

Exécution

En inspirant, redressez la tête et creusez le dos.

En expirant, fléchissez les coudes et posez le sommet du crâne sur le sol en gardant le poids du corps sur les pieds. La tête repose mais ne s'appuie pas sur le sol. Les deux pieds, les deux mains et la tête se trouvent sur une même ligne.

Maintien

Restez dans cette attitude le temps de plusieurs respirations contrôlées.

Fin

Après une dernière expiration, en inspirant, relevez la tête et tendez les coudes ; creusez le dos et, en inspirant, relevez-vous ; revenez en position debout, pieds réunis ; détendez-vous dans cette position.

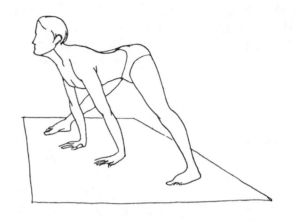

A32 a

A32 b

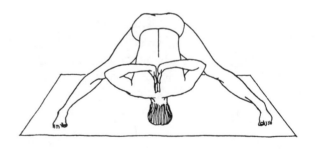

A32 c

Deuxième phase

Préparation

Reprenez la position jambes écartées, genoux tendus ; placez les deux mains jointes derrière le dos, les doigts allongés dirigés vers la tête. Ce geste, vous le savez depuis le salut au soleil, est le signe de respect indien.

Exécution

En expirant, penchez-vous en avant et restez le tronc parallèle au sol, la tête levée, le temps de deux ou trois respirations.

Maintien

En expirant, posez la tête au sol sans l'appuyer et restez dans cette attitude, le temps de plusieurs respirations contrôlées.

Fin

Après une dernière expiration, en inspirant reprenez la position parallèle au sol et relevez-vous. Puis étendez-vous sur le dos et reposez-vous.

Difficultés

La souplesse des jambes sera votre principal souci, ainsi que l'équilibre, instable surtout dans la deuxième phase. Reposez bien le poids du corps sur les pieds, afin de ne pas basculer en avant. Creusez votre dos que vous aurez tendance à croire droit.

Avantages

Presque les mêmes que pour la posture de la tête (A31). La circulation sanguine du tronc et de la tête étant augmentée en raison de la position basse de toute la partie supérieure du corps.

En outre, l'étirement des jambes est un excellent entretien de la souplesse des tendons, ligaments et muscles. Ces étirements, malgré la souplesse acquise ou reconquise, doivent être faits une fois par semaine environ.

33 - Posture de la tête euxième façon

Selon les auteurs et les maîtres, cette posture porte le nom de Kapalasana ou shirshasana. Kapala voulant dire : crâne, comme nous l'avons vu lors de la respiration de nettoyage. Pour les Occidentaux elle est connue sous un nom qui surprend parce qu'elle n'a vraiment qu'un rapport très lointain avec cet arbre ou tout autre de : "poirier". Comme elle figure maintenant au programme des examens de culture physique de baccalauréat, nous la donnonssous la forme hindoue pour ceux qui, ne pouvant utiliser la première posture A31, préfèrerait celle-ci parce que plus stable.

Préparation

Mettez-vous à genoux, placez les deux mains à plat en face des genoux, les doigts tournés vers l'extérieur, les paumes parallèles l'une à l'autre. La distance entre les deux mains ne doit pas dépasser la largeur des épaules.

Placez le sommet du crâne sur le sol. Soulevez le bassin en portant votre poids sur la tête et les mains et en allongeant les genoux. Corrigez votre attitude en étirant le dos et tendant la poitrine.

Exécution

Faites quelques petits pas et, en expirant, soulevez les pieds en portant tout le poids du corps sur la tête et les deux mains.

Maintien

Levez lentement les jambes et étirez-les vers le haut. Gardez cette attitude. Vous êtes en équilibre sur la tête, les coudes fléchis, les avant-bras perpendiculaires au sol.

Fin

Sur une expiration, repliez les genoux et reposez doucement les pieds au sol. Restez trois expirations front au sol et relevez-vous en inspirant en position de la foudre (A10). Reposez-vous sur le dos.

Difficultés et contre-indication

A peu près les mêmes que pour la A31, avec cependant une atténuation, car le poids sur la tête peut être moindre en raison du meilleur équilibre donné par les mains. Toutefois, respectez dans la mesure du possible l'écartement des mains qui ne doit pas être exagéré et ne pas dépasser la largeur des épaules malgré la tentation que vous pourriez avoir.

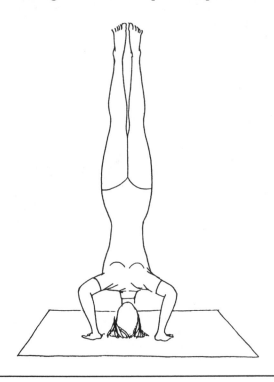

A33

Vous pouvez, comme dans l'autre posture, vous aider d'un mur, mais respectez la rectitude du dos également.

Avantages

Absolument identiques à la posture A31 avec ceci de plus qu'il est plus malaisé de la garder longtemps et que, par conséquent, on est moins tenté de dépasser la mesure des quelques minutes autorisées.

Après avoir étudié cette série spéciale et l'avoir sinon maîtrisée, tout au moins assimilée, incluez l'une des postures qu'elle décrit dans n'importe quelle série que vous pratiquez après vos étirements.

AIDE-MÉMOIRE DES ASANAS CITÉS :

A 31   A 32ᵃ   A 32ᵇ   A 32ᶜ   A 33

26

NOTRE VIE QUOTIDIENNE ET LE YOGA

Vous ne vous êtes pas rendu compte que vous avez presque terminé l'examen des chemins escarpés suivis par les yogis.

Ces sentiers vous ont été présentés avec beaucoup d'aménagements et de ménagements.

Si vous nous avez suivi jusque-là, vous êtes parvenu aux cinq portes centrales de la citadelle du yoga.

Il nous reste à vous ouvrir la première et la deuxième de ces portes et à vous montrer de loin la huitième.

Pourquoi aborder si tardivement ces deux étapes par lesquelles, en principe, dans l'ordre de préséance nous aurions dû commencer ?

Parce que, si importantes que soient ces "portes" elles ne sont plus fermées aussi hermétiquement aux gens du XXe siècle qu'il y a 10 000 ans. Elles ont perdu, à tort peut-être, de leur valeur initiatique.

Jugez-en par vous-même.

De quoi s'agit-il donc ? Les principaux obstacles à l'épanouissement humain, nous disent les traités de yoga, résident dans tout ce qui "s'oppose à la raison" (vitarka). Apparemment voilà un langage conforme à ce qu'un homme d'aujourd'hui conçoit aisément, surtout ceux qui, à plus ou moins juste titre, se réclament de Descartes.

Quels sont ces obstacles ?

Selon la classification traditionnelle hindoue et pour votre information ce seraient les dix suivants :

1) Les torts commis envers les autres et nous-même ;
2) L'usage du mensonge et des contre-vérités ;
3) Le vol, c'est-à-dire l'appropriation injustifiée de ce qui ne nous appartient pas ;
4) La débauche sensuelle ;
5) L'accumulation de richesses pour notre seule satisfaction personnelle ;
6) L'impureté du corps, de l'esprit, et des sens ;
7) L'insatisfaction, l'envie ;
8) L'égoïsme ;
9) L'indolence dans le perfectionnement de nos connaissances ;
10) Le refus de rechercher la Sagesse.

N'est-ce pas un peu décevant ? Cette énumération vous a-t-elle appris quelque chose de nouveau ?

Pourtant, évidemment, en y réfléchissant bien... Si chacun de nous veillait à ne pas enfreindre les lois morales correspondantes au lieu de se contenter d'en noter les négligences chez les autres.

Cela dit, il n'est pas question de moraliser.

Voyons maintenant quels sont les moyens proposés par les yogis par-delà des siècles pour contrôler et éviter ces erreurs qui s'opposent au libre usage de la raison.

Ces moyens, au nombre de deux, apparaissent aussi décevants. Le premier *yama*, est constitué par cinq préceptes moraux permettant par la maîtrise de soi de dominer les cinq premiers obstacles cités ; le deuxième *niyama* réuni cinq observances à respecter concernant les cinq derniers obstacles.

Yama

Les préceptes moraux correspondant ne méritent pas d'être cités, ce ne sont que des négations qui appartiennent aussi au code moral de nos civilisations : ne volez pas, ne mentez pas, etc. Seul le premier pourrait retenir notre attention, c'est le fameux *ahimsa* ou principe de la non-violence, qui sert aussi maladroitement de mot de passe à "une jeunesse qui se cherche" que de couverture au plus faible lorsqu'il ne peut vaincre le plus fort. C'est la transposition bien banale de notre proverbe : "Ne fait pas aux autres..." qui se résume en un seul mot : la charité.

Niyama

Apparemment plus positive, mais nous n'aurons pas non plus grand intérêt à énumérer ces observances.

A part la sonorité des mots sancrits et leur mystère, elles ne proposent, toutes réflexions faites, que des règles que nous connaissons bien, et que nous n'appliquons guère.

Vous voyez, en l'occurrence, les yogis n'ont cette fois pas inventé grand-chose :

Cependant, ces règles et observances étaient si strictes que, écrit A. Daniélou : "leur pratique se révèle impossible à notre époque", à tel point qu'elles sont remplacées par des "purifications" qui alors sont franchement inaccessibles à des Occidentaux.

Qu'utiliserons-nous ?

Ce que nous disions au chapitre I : des règles d'hygiène morale et physique qui forment une règle de vie variable selon les climats et les moeurs, mais définie à partir de certains principes directeurs.

Ainsi en est-il de l'hygiène corporelle, par exemple.

Il est bien évident que l'hygiène physique, ignorée plus ou moins totalement il y a quelques lustres, a considérablement transformé notre vie de civilisé. Ce qui semblait un impératif à une élite restreinte est devenu naturel à une grande majorité et passe pour moins important à enseigner.

Pourtant, en atténuant la rigueur de certaines prescriptions trop typiquement ascétiques, nous aurions intérêt à en inclure quelques-unes dans nos habitudes, si ce n'est déjà fait.

Aux yeux d'un Occidental, un yogi paraîtrait un maniaque de la pureté. Pour lui, en effet, toute journée doit commencer par une purification complète dont vous n'avez pas idée, allant de la purification externe normale, à la purification interne assez curieuse comprenant le nettoyage du nez, de l'estomac et de l'intestin par des procédés souvent décrits, quelquefois appliqués, mais dont nous vous faisons grâce.

Contentons-nous de ceci :

1) Toilette interne, le matin au lever

a) Buvez un verre d'eau gorgée par gorgée. Une eau potable ordinaire suffira à ce rinçage matinal, mais, si vous doutiez de sa pureté, mieux vaudrait utiliser une eau minérale, non médicamenteuse et même, éventuellement, y ajouter un jus de fruit pressé ;

b) Nettoyage du nez. Remplissez votre verre d'eau fraîche ou tiède, ajoutez-y une pincée de sel marin. Les narines affleurant l'eau, la tête droite, inspirez une petite quantité d'eau et renversez doucement la tête en arrière. Cette gorgée retombera dans votre gorge et vous la recracherez. (Procédez doucement parce que vous risquez d'avaler de travers si vous agissez avec précipitation).

N'inspirez pas trop fort, afin que l'eau ne pénètre pas dans vos sinus. Vous arriverez progressivement à effectuer ce rinçage nasal, qui n'est pas difficile, dès qu'on s'y est un peu accoutumé.

Enfin, en appuyant alternativement sur les narines,

chassez, en soufflant, l'eau qui y reste, ou, si vous le préférez, mouchez-vous ; à moins que vous ne pratiquiez la "respiration soufflet" (page 289), le moment en serait bien choisi, suivie de la contraction volante.

C'est un excellent procédé d'hygiène, qui a l'avantage, entre d'autres, de vous immuniser contre les rhumes, mais il ne s'agit nullement d'une prescription primordiale si vous ne pouvez vous y résoudre.

Brossez-vous la langue et les dents avec une brosse dure pendant trois minutes, même sans pâte spéciale, quelques gouttes d'une eau dentifrice dans un verre sont suffisantes. Ce brossage a pour effet, sinon d'éviter le tartre des dents (pour le tartre, recourez à votre dentiste) tout au moins d'éliminer les déchets alimentaires et de masser les gencives.

2) Toilette externe

Il importe peu que, suivant nos commodités d'installation, nous prenions un bain ou une douche, ou que - plus simplement encore - nous nous servions d'une éponge ou d'un gant de toilette : l'essentiel est d'humidifier tout le corps. Si vous craignez le froid, rien ne vous empêche de procéder par fraction : mains, visage, poitrine et de vous sécher avant de poursuivre.

Terminez votre toilette en vous frictionnant énergiquement avec un gant de crin ou encore à mains nues. Les mains sont chargées de magnétisme, favorisant la bonne circulation superficielle du sang.

Usez modérément des eaux de toilette, toutes alcoolisées. L'alcool s'absorbe aussi bien par les pores de la peau que par voie buccale et, sans le savoir, vous vous alcoolisez, peu à peu.

Doit-on utiliser l'eau froide ou l'eau chaude ?

Tout dépend de vous ; il n'est pas utile de risquer un refroidissement ou des rhumatismes, sous prétexte de vous endurcir. L'eau chaude nettoie mieux, l'eau froide tonifie, mais la friction finale compense et remplace le coup de fouet de l'eau froide, au cas où celle-ci ne vous conviendrait pas.

Vous êtes alors prêt à commencer votre séance de hatha yoga proprement dite, après laquelle vous déjeunerez. Les personnes qui ne pourraient suivre l'ordre de ce programme et préfèreraient déjeuner dès le réveil, veilleront à s'alimenter légèrement. Si vous avez l'habitude d'un petit déjeuner copieux, placez votre séance tout de suite avant ou une heure après.

Comment dormir ?   Cette question se pose au niveau de notre vie quotidienne.

N'est-ce pas pendant le sommeil que se recharge, que se reconstitue notre organisme, à la condition toutefois que ce sommeil soit réparateur ?

Or, si nous savons mal nous détendre, nous ne savons guère mieux dormir. Pour le yogi, au contraire, comme pour tout homme vivant selon les lois naturelles, le sommeil ne pose pas plus de problèmes que la détente. Il trouve d'instinct les moyens (position corporelle idéale, nombre d'heures nécessaire, etc) de profiter pleinement du repos nocturne.

Le civilisé, que les servitudes de son temps (veilles prolongées, bruit incessant, horaires surchargés, lumières artificielles trop vives) ont rendu indépendant du rythme solaire avec son alternance du jour et de la nuit, a perdu les habitudes d'un repos en accord avec les exigences de la nature et il outrepasse les limites normales de l'activité journalière.

Chose encore plus grave, ce même civilisé est tellement intoxiqué par ces habitudes arythmiques qu'il ne trouve, voire ne désire trouver une prétendue détente que dans telles distractions qui accumulent les facteurs de fatigue et de surmenage.

Au reste, ne craignez rien : nous ne vous demanderons pas le sacrifice de ce qui est devenu partie intégrante de votre existence. Faites seulement appel à votre raison. Examinez, pesez ce qui, dans votre vie actuelle, pourrait avantageusement être modifié ou évité. On se laisse souvent entraîner à de fâcheuses habitudes par faiblesse plus que par réel plaisir.

En tout cas, si, en dehors de troubles organiques reconnus et en dépit d'une vie saine, d'exercices physique réguliers, d'une hygiène alimentaire convenable, il vous arrive de souffrir d'insomnies, ne vous contentez pas de les accepter philosophiquement et recherchez-en les causes, psychiques ou physiques, avec votre médecin. L'insomnie fréquente ou persistante est génératrice de fatigue, d'anxiété, de déséquilibre nerveux qui retentissent profondément sur notre état général.

Préparez-vous au sommeil

Si des soucis plus aigus, des contrariétés, des préoccupations, des difficultés plus inextricables vous accablaient et risquaient de vous empêcher de dormir, procédez à un "rite" préparatoire au sommeil.

Ce petit cérémonial sera accompli intégralement ou partiellement à votre gré et selon le cas.

1) Détendez-vous au préalable

Le moment venu de gagner votre lit, ralentissez progressivement vos gestes, comme si chacun de vos membres, chaque fraction de votre corps commençait déjà à s'assoupir et vos idées à se perdre dans un brouillard ouaté.

Buvez un verre d'eau à petites gorgées.

Pratiquez (si vous le pouvez) un rinçage nasal avec de l'eau pure.

Adonnez-vous à une courte séance de détente, page 99.

2) Respiration alternée

Asseyez-vous sur une chaise ou, mieux, en une posture choisie parmi celles que vous pratiquez le plus aisément. Repliez les doigts d'une main comme il est indiqué.

Inspirez, en bouchant et débouchant "rapidement" les narines par un mouvement de va-et-vient du poignet.

Expirez aussitôt en continuant le balancement du poignet.

Respirez ainsi pendant une ou deux minutes et couchez-vous.

La peur de ne pas dormir est souvent une cause supplémentaire d'insomnie. Le remède, dans ce cas, consiste à procéder à rebours : interdisez-vous de dormir pendant un temps déterminé ; résistez même au sommeil s'il vient tout de suite. La crainte ainsi volontairement jugulée, le sommeil vous prendra automatiquement, si du moins vous êtes tout à fait sincère avec vous-même.

Chassez de votre esprit les idées déplaisantes ou pénibles et maintenez votre pensée fixée sur l'image d'un vaste paysage, d'un grand lac, d'une rivière au cours calme et majestueux... ou sur votre respiration abdominale.

Quelle position adopter ? La posture ferme

Les hatha yogis ont tout prévu... et même une posture pour dormir, appelée dradhasana. Ils vont encore plus loin et conseillent d'orienter notre lit de façon à avoir la tête au nord et les pieds au sud, ou la tête à l'est et les pieds à l'ouest, afin de bénéficier des courants magnétiques terrestres. Cependant, si vous vous aperceviez que votre lit n'est pas orienté selon ces directives et qu'il vous soit impossible d'en modifier la position, ne vous en alarmez pas, l'habitude acquise vous permettant de ne souffrir aucun inconvénient de ce défaut d'orientation.

Pour en revenir à la dradhasana, étendez-vous sur le côté droit, les jambes allongées, le bras gauche le long·du corps, la jambe gauche reposant sans raideur sur la jambe droite, le bras droit replié sous la tête, la face interne du bras ou la paume de la main servant d'oreiller (la plupart des hygiénistes occidentaux recommandent de supprimer oreiller et traversin et de dormir à plat). Il faut, disent les yogis, s'endormir sur le côté droit, ce qui favorise la première phase de la digestion, et se réveiller sur le côté gauche pour en terminer la deuxième phase.

Détendez-vous aussi complètement que possible, respirez calmement sans effort, ralentissez le rythme respiratoire. Détachez-vous de vos préoccupations, de vos problèmes grands et petits, ce n'est plus le moment d'en débattre. Coupez les circuits électriques de votre cerveau, en recueillant quelques sensations tactiles ou auditives. Connaissez-vous cette excellente formule du philosophe Théodule Ribot : *"Dormir, c'est se désintéresser"* ?

Quelques remarques sur la posture ferme.
1) Evitez de replier vos jambes en "chien de fusil". Gardez-les en position allongée qui favorise la circulation sanguine ;
2) Sauf contre-indication pour troubles organiques spéciaux, il est toujours préférable de dormir à plat ;
3) S'il vous est agréable de dormir sur le ventre, gardez cette position que, sans doute, l'instinct vous a fait choisir : elle est excellente pour qui souffre de ptôse stomacale ou de congestion des organes.

4) Adoptez un matelas assez dur. Pour leur perméabilité, préférez les couvertures de laine au duvet ou édredon. Sauf, occasionnellement, n'usez pas de couvertures chauffantes ni de bouillottes : votre corps perdrait ses facultés de défense naturelle et deviendrait moins résistant au froid.

Combien de temps faut-il dormir ?

La durée du sommeil est fonction de l'âge, des saisons, de l'état de santé, du tempérament et, surtout, de la faculté de récupération propre à chacun de nous. Il est fréquent qu'à la suite de la pratique régulière du yoga on dorme moins longtemps et plus profondément.

Savoir se reposer importe plus que dormir longuement et lourdement. La qualité l'emporte toujours sur la quantité.

Même pendant une insomnie, si vous restez parfaitement immobile, détendu comme en posture du grand repos (A1), vous récupèrerez vos forces.

Le yoga vous offre les moyens naturels qui vous procureront un repos réparateur. Mettez-les à l'épreuve jusqu'à ce que vous ayez découvert la formule la plus convenable à votre complexion individuelle.

Air et lumière

Les Orientaux comprennent difficilement notre manie de brunir à tout prix. Le soleil, puissant élément thérapeutique, à dose raisonnable, devient rapidement dangereux, si on en use sans discernement. Le moindre de ses inconvénients est de dessécher la peau et de la flétrir plus vite.

La posture du grand repos (A1) est une attitude de détente et de récupération qui ne doit pas servir à vous exposer au soleil. La teinte bronzée si prisée, est une défense de l'organisme contre certains rayons solaires. Qui tente de l'obtenir trop vite prend la fin pour les moyens, afin de satisfaire une naïve vanité.

De préférence à ce brunissage forcé, à grand renfort de spécialités protectrices ou accélérantes, profitez de vos vacances, grandes ou petites, pour laisser vivre votre corps avec le minimum d'entraves vestimentaires.

Aérez-vous le plus possible, respirez, marchez, baignez-vous, communiez avec la nature et en récompense - mais en récompense seulement - vous serez bronzé et désintoxiqué, physiquement et moralement.

Rappelez-vous, ou sachez que vivre c'est comme la respiration : prendre, assimiler, restituer.

Une antique légende hindoue, qui illustre remarquablement le processus en question, pourrait servir d'introduction à tous les yogas comme à toutes les méthodes d'éducation profonde de l'être humain.

Au moment, est-il dit, où se lève dans le ciel l'étoile Svâti (Arcturus, de la constellation du Bouvier), si l'ondée menace, les huîtres se rassemblent au bord des grèves. Coquilles béantes, elles attendent. Vienne l'averse et celle des huîtres qu'une larme céleste a pénétrée se referme aussitôt. Elle plonge au fond des mers où, dans la solitude et le silence, la goutte de pluie deviendra perle.

Comme cette fable nous y incite, portons-nous au-devant de la source de la Connaissance, profitons de toutes les occasions de nous enrichir, demeurons ouvert, attentif à ce qui est bien, à ce qui est beau (1er temps : prendre).

Puis, ayant recueilli une parcelle de la Sagesse, fermons-nous aux influences pernicieuses ou déprimantes. Alors, dans le silence du travail intérieur, mûrira une personnalité nouvelle, débarrassée des complexes paralysants, douée d'un solide équilibre d'une vision claire de l'existence (2e temps : assimiler).

En bref, devenons une personnalité saine et plus forte qui fera profiter de sa richesse intérieure des personnalités moins vigoureuses (3e temps : restituer).

Orientons-nous vers une vie simple, naturelle, détendue, sereine. Sans exiger l'abandon du milieu au sein duquel se poursuit notre existence quotidienne, le yoga nous convie à créer en nous une oasis permanente de clarté, de silence et de détente intérieure. La véritable activité se développe toujours du dedans au-dehors : c'est une force centrifuge et non centripète. Retirons-nous en nous-même en ouvrant tout grand nos sens - ces portes et fenêtres de notre âme.

Observons attentivement, lucidement, nos pensées, nos émotions, nos actes, non pour nous replier stérilement sur nous-mêmes, mais pour nous dépasser et "rendre au monde, grossie au centuple et belle d'un orient magnifique, la perle que le ciel nous avait donné".

27

ALIMENTATION

Un vieil adage, qui nous semble bien banal, est riche d'une signification profonde que nous allons redécouvrir :

"Il faut manger pour vivre et non vivre pour manger."

Se nourrir est une nécessité, et l'assouvissement de ce besoin s'accompagne d'un plaisir naturel. Nourrir notre corps et en éprouver pleinement la satisfaction sont les conditions primordiales de la santé.

La vie moderne nous impose des horaires, une hâte, des obstacles qui nous conduisent à des habitudes désastreuses pour ce qui est de l'alimentation.

Tôt levé et mal en train, notre contemporain - vous peut-être ? - avale un bol de café bouillant, quelques tartines de pain frais et, l'estomac gonflé, file à son travail. A midi, le temps d'avaler au restaurant, charcuteries, plat garni, fromage et pâtisserie, arrosés de l'inévitable quart de vin, et c'est à nouveau une demi-journée de travail sédentaire qui commence.

Le soir, la lassitude est grande. Le dîner en famille se déroule plus ou moins paisiblement et la télévision sollicite l'attention des convives bien avant la fin du repas.

L'alimentation ne consiste pas simplement à absorber de la nourriture. La quantité, la qualité de cette nourriture importent au premier chef, mais les conditions extérieures et le climat de tranquillité ou d'agitation qui est le nôtre à table sont des éléments dont il ne faut pas sous-estimer le rôle bénéfique ou perturbateur.

Un premier conseil : prenez votre temps

Il est préjudiciable de se mettre à table sans avoir pris le temps de se reposer, de se détendre un peu, ou au moins de laisser retomber progressivement la tension nerveuse.

S'asseoir un moment, se laver les mains sans hâte, s'installer dans la bonne humeur en s'apprêtant à jouir de son repas, voilà un excellent préambule.

Prenez exemple sur le gourmet qui ne veut rien perdre du plaisir raffiné qu'il goûte, à l'opposé du goinfre qui se jette avidement sur le contenu de son assiette et l'absorbe avec précipitation.

Respirer le fumet d'un plat, en apprécier la couleur, en admirer la présentation, jouir d'être assis devant une table très proprement et coquettement dressée, voilà la meilleure préparation au repas. L'eau vous vient à la bouche, ce qui est le signe que les fonctions digestives s'éveillent, que votre corps est prêt à recevoir sa nourriture.

La respiration est activée, la circulation aussi, une détente nerveuse se produit. Le début du repas est un moment heureux.

Manger vite est aussi préjudiciable que manger trop. Sobre jusqu'à la frugalité, Bernard Shaw fut un bel exemple du bénéfice qu'on peut tirer d'une alimentation bien conduite. A quatre-vingt-quatorze ans, il était sec et solide, n'avait rien perdu de son esprit caustique. On sait qu'il mangeait toujours seul, et à des heures invariables.

L'importance de l'ambiance calme et capitale. Un repas pris dans la hâte, tout en poursuivant des discussions ou en ruminant des soucis, ne sera pas digéré normalement. La tension nerveuse freine l'élaboration des sucs digestifs, paralyse les mouvements des organes, un acide corrosif se forme dans le tube digestif, qui peut, à plus ou moins longue échéance, provoquer des ulcères.

Nous voici à nouveau confrontés avec les réalités de l'interdépendance du corps et de l'esprit.

Le surmenage émotionnel est l'ennemi n° 1 de notre organisme. Accorder aux conditions paisibles, aux plaisirs esthétiques et gustatifs du repas toute leur valeur, leur faire la part aussi belle que possible, fait partie de ce que le yoga nous amène à pratiquer normalement.

Un deuxième conseil : mâchez

La digestion commence dans la bouche. Si vous broyez finement votre nourriture en la mâchant bien et qu'elle est, de ce fait, bien mélangée à la salive, le travail du tube digestif sera facilité par l'action primordiale des sucs salivaires et l'assimilation des aliments engendrera une énergie utilisable. Manger trop vite équivaut à escamoter la transformation des amylacés (pain, pâtes, farineux) en sucres assimilables. Ces aliments, mal digérés, encombrent l'intestin, le gonflent et seront stockés sous forme de graisse.

Pour maigrir, mâchez !

C'est à partir d'une rééducation de l'habitude de la mastication que peut se créer un renouveau de la vitalité.

Manger lentement, mastiquer longuement évite ces fringales malsaines qui poussent tant de nerveux ou d'insatisfaits à se nourrir avec excès.

Ne vous privez pas ; réapprenez à trouver un grand plaisir à manger, à manger lentement et à bien mâcher. Le besoin de manger trop ne vous harcèlera plus, vous trouverez tout naturellement un équilibre normal de sobriété.

Une gastronomie naturelle

On aurait tort de croire que le régime végétarien est l'alimentation qui accompagne nécessairement l'exercice du yoga.

Les raisons qu'on peut avoir de s'abstenir de viande et de préférer une nourriture composée de légumes, fruits, céréales et de produits laitiers sont bonnes dans la mesure où elles représentent un choix qui se fonde sur des motifs positifs. Se "priver" de viande, n'est pas à conseiller. Mais, si vous choisissez l'alimentation la plus simple, par goût, ou bien pour obéir à une inclination personnelle, par une sorte d'idéalisme de frugalité, de simplicité, vous ferez bien.

Préférez-vous manger comme votre entourage ? Vous avez raison, aussi. L'exercice du yoga et les habitudes nouvelles de modération et de maîtrise de soi que vous acquerrez suffiront à équilibrer votre appétit en fonction de vos besoins réels.

Bien connaître la valeur des aliments vous aidera à équilibrer judicieusement vos repas, selon les besoins de l'organisme.

Prenez le parti de choisir ce qui vous tente, ce que vous aimez, parmi tous les aliments sains et délectables qui s'offrent à vous. Rééduquez très progressivement votre appétit ; vous en viendrez bientôt à vous détourner d'une friture au profit d'une grillade quand l'habitude sera prise de vous régaler paisiblement à chaque repas.

Parlons un peu des aliments.

Il faut distinguer les aliments naturels, non préparés, et les aliments cuisinés.

On connaît assez l'importance des *vitamines*.

La vitamine A, anti-infectieuse, existe dans les carottes, fruits rouges, légumes verts, le lait, les abats ;

La vitamine B favorise la digestion. Consommez

des farines complètes, du pain fait de farine non dévitalisée ;

La vitamine C est la vitamine énergétique de la vitalité, de la croissance. Son pouvoir anti-infectieux et catalytique est bien connu. Elle se trouve dans les fruits et les légumes crus. C'est la vitamine de jeunesse des tissus vivants.

La vitamine D favorise l'assimilation du calcium, entretient la santé des organismes que la privation de lumière solaire, durant l'hiver, rend plus vulnérables. On la trouve, dans le foie, les abats, les huiles de poisson.

Un mot sur les différentes catégories d'aliments.

Il existe beaucoup de répertoires diététiques qui vous permettront de composer vos menus de telle sorte que les éléments essentiels figurent à chaque repas.

Protéines : (viande, poisson, lait écrémé, tous les fromages) ;

Hydrates de carbonne : (tous les sucres, le miel, ; farineux, céréales) ;

Graisses (beurre, huile, graisse animale) ;

Vitamines ;

Sels minéraux : (plus votre alimentation sera variée, mieux votre ration en sels minéraux sera assurée régulièrement) ;

Informez-vous soigneusement puis laissez-vous guider par votre appétit, en gardant présent à la mémoire qu'il est indispensable de manger un peu de tout à chaque repas pour que la digestion se fasse normalement.

Une gastronomie naturelle qui rend habile à composer un menu d'autant plus succulent qu'il est parfaitement équilibré en principes nutritifs, est un art où il est plaisant d'exceller.

Conseils pratiques

Le choix des denrées et la préparation culinaire sont des facteurs essentiels pour une alimentation de santé.

Les recettes ménagères d'autrefois, quand la cuisine familiale était élaborée, riche, donnant aux pâtisseries, aux plats en sauce une place de choix, sont heureusement remplacées dans nos habitudes par une cuisine beaucoup plus simple. Les crudités et les grillades ont bonne réputation. Une salutaire "peur de grossir" fait que beaucoup de femmes s'intéressent aux régimes basse-calories et apprennent à évaluer la valeur nutritive des aliments.

Voici quelques conseils dont tout le monde tirera profit.

Le pain blanc est fait de farine dévitalisée. Le pain complet, le pain de seigle, un peu rassis, sont préférables ;

Prenez, en apéritif, un jus de tomate, un jus d'orange ;

On trouve dans les magasins spécialisés en produits de régime, du riz non décortiqué, des pâtes en farine complète ;

Il est bon de servir la salade avec ses feuilles les plus vertes. Evitez l'endive, qui est un légume malade, artificiellement privé de sa couleur naturelle verte ;

Les potages aux légumes ont l'avantage de nous faire consommer une eau de cuisson riche en sels minéraux solubles ;

Votre réfrigérateur peut être aussi un faux ami. Les légumes, viandes, laitages ne s'y conservent pas intacts, mais se détériorent insidieusement. Achetez, chaque jour, les produits les plus frais possibles ;

Une femme qui travaille a très peu de temps pour

cuisiner. Elle servira, sur la table familiale, les plats les plus simples et beaucoup de produits naturels : noix, olives, des fromages, yaourts, et même quelquefois ces sandwiches que les Américaines réussissent très bien, où avoisinent sur des feuilles de salade toutes sortes de choses fines et savoureuses qui font un repas complet. Les enfants se trouveront bien d'un verre de lait pour accompagner ces repas-express ;

Epluchez le moins possible les légumes, mais lavez-les très soigneusement. Ils peuvent presque tous être consommés crus. La cuisson à la vapeur est une méthode recommandée ;

Usez généreusement des fines herbes du jardin, de l'ail dont les vertus sont certaines, de l'oignon cru qui donnera du bouquet à vos salades de crudités. Plutôt que le vinaigre, utilisez le jus de citron ;

Le sucre blanc, raffiné industriellement, n'a pas la valeur énergétique et vitalisante des miels, des mélasses, du sirop d'érable. Une cuillerée de miel dans une tasse de thé léger dissipe la fatigue en quelques minutes ;

Les céréales, comme les flocons d'avoine, le millet, le sarrazin, les semoules, le couscous, la polenta, sont économiques et nutritifs.

Les boissons

L'habitude de boire en mangeant a des inconvénients si évidents que tous les diététiciens et les médecins la dénoncent.

La nourriture se trouve diluée dans l'estomac par les liquides et les sucs digestifs n'agissent pas normalement. Les substances nutritives les plus importantes sont perdues pour l'assimilation, et il s'ensuit des carences qui sont souvent à l'origine de ces faims intempestives, envies de manger à toute heure. L'organisme carencé est dans un état de besoin, malgré la quantité de nourriture absorbée.

Seul un repas parfaitement composé, une digestion non troublée permettent une assimilation normale et une satisfaction de l'appétit avec des rations non excessives.

Par contre, boire entre les repas est salutaire. La meilleure boisson est l'eau minérale la plus pure, la moins riche en sels.

Buvez six ou huit verres d'eau chaque jour. Ce n'est pas une nourriture, mais un des composants de notre corps.

Le liquide de vos tissus doit être constamment renouvelé. Nous éliminons de l'eau, sans arrêt, par les glandes sudoripares, par la respiration, par les voies digestives.

Selon un processus automatique et continu, il se produit un va-et-vient de liquide en nous : les toxines, les poisons, les déchets cellulaires sont dilués, brassés, évacués. L'eau que nous buvons lave les reins, purifie le sang, facilite le transit intestinal.

Un verre d'eau au réveil, un autre avant de s'endormir, est une excellente habitude : il s'agit d'un véritable nettoyage de l'organisme, comme nous l'avons vu.

L'eau glacée est une boisson pernicieuse : le froid paralyse la digestion, peut provoquer des crampes d'estomac.

Toutes les tisanes et les infusions, le thé léger sont salutaires.

Les jus de fruits et de légumes sont presque autant aliments que boissons et tous recommandables.

Une précaution à ne pas oublier : consommer le jus aussitôt qu'il est préparé. Une déperdition des vitamines par oxydation se produit très rapidement.

Le lait est, lui, un véritable aliment. Sa richesse en protéines, sucre, sels minéraux assimilables, graisses, en fait un aliment de croissance et de santé. Mais il est un peu difficile à digérer et il ne convient pas d'en boire rapidement, comme on ferait d'un verre d'eau. Par contre, à petites gorgées, qu'on fait alterner avec des bouchées de pain mâchées lentement, le lait est digeste.

Tous les produits laitiers sont recommandés. On a souvent parlé des vertus salutaires du yoghourt et du Kéfir, ces laits fermentés qui font vivre centenaires les paysans de l'Oural !... Les ferments lactiques qu'ils contiennent favorisent la digestion, ont une action désintoxicante qui suffit à justifier leur réputation.

Certaines boissons comme le café et les limonades chimiques, sodas, etc, produisent une stimulation qui finit, à la longue, par dérégler les réactions du système nerveux. Il s'ensuit des moments de torpeur, contre lesquels on essaie de lutter par de nouveaux stimulants... L'organisme entier s'en ressent, le tonus baisse, et l'insomnie s'installe.

L'alcool est l'ennemi de l'homme. Le yoga vous aidera à vous débarrasser de l'entrave que représente l'habitude de boire, même très modérément, de l'alcool sous quelque forme que ce soit. Là encore, n'aspirez pas à obtenir de vous-même par un effort violent ce qui doit être un retour progressif vers un équilibre de santé harmonieux et normal.

Par une discipline souple, réduisez peu à peu l'usage de l'alcool. Un jour viendra vite où le besoin que vous avez, qui ne correspond à aucune nécessité naturelle du corps, s'apaisera, se dissipera. Vous ne ressentirez plus le désir de boire un alcool.

Boire un verre de bon vin aux repas vous est-il un grand plaisir ? Ne vous en privez pas. Mais si vous savez vous en passer, vous faites bien.

Pour l'alcool comme pour le tabac, la méthode pour se délivrer de la contrainte de l'habitude est une méthode de réduction progressive des doses.

L'exercice du yoga vous procurera des forces et un bien-être qui suppléeront largement aux satisfactions que vous pourrez tirer des excitants.

Faut-il jeûner ?

Abordons maintenant la question du jeûne. Les yogis ont la réputation de pratiquer des jeûnes prolongés, véritables prouesses consistant à ne rien absorber pendant des semaines, assure-t-on.

Les Sages de l'Inde, dont les forces spirituelles atteignent à des niveaux qui nous sont probablement inaccessibles, recourent au jeûne, c'est un fait.

Ne demandons pas à notre corps de dépasser son niveau d'activité normale. C'est déjà pour nous un but ambitieux que de tendre à atteindre cet équilibre normal et naturel de notre personne, de notre vie.

Plutôt que de tenter l'expérience du jeûne qui, dans certains cas et sous contrôle médical, peut être une thérapeutique utile, sachons que la modération, à table, est salutaire.

Il est bon d'achever un repas avec l'impression d'avoir "encore de la place", de rester légèrement sur sa faim.

Pour reposer tout l'organisme, vous pouvez rester, un jour ou deux, par mois, sans manger. Ces jours-là, buvez normalement, à votre soif, et vivez comme d'habitude, en négligeant l'impression de fatigue que vous ressentirez à l'heure habituelle des repas. Ne vous en inquiétez pas.

Si vous êtes souffrant, ou très las certains jours, mettez-vous à la diète pendant quarante-huit heures, en ne prenant qu'une alimentation très légère et frugale.

Les animaux nous donnent l'exemple de cette réaction instinctive de mise au repos des fonctions digestives en cas de maladie.

Vous retrouverez cette libre communication avec là "sagesse du corps" et vous saurez faire confiance à votre appétit ou à une répugnance qui vous détournerait de manger.

Quand peut-on se mettre à table ?

La plupart d'entre nous avons été dressés, du fait d'une éducation traditionnelle, à manger "de tout", à manger avec ou sans appétit, à manger "tout ce qui se trouve dans l'assiette". Les psychologues s'accordent à conseiller aujourd'hui aux parents la plus grande prudence dans les dressages qui touchent aux fonctions naturelles.

La nécessité de manger à heures fixes est une des contraintes de la vie civilisée. On en arrive à s'asseoir à table et à avaler un repas sans tenir compte de l'appétit.

Si vous n'avez pas faim, à l'heure du repas, sautez ce repas. Vous attendrez le suivant, en vous aidant au besoin d'un ou deux jus de fruits.

Si vous êtes soucieux, énervé, tendu, ne vous mettez pas à table. Faites des exercices de yoga ; cherchez à reprendre votre calme ; dispersez votre pensée et rassemblez-la par des exercices de contrôle de l'attention.

On surestime beaucoup l'importance des repas réguliers. Il y a en nous des réserves d'énergie calorique largement suffisantes pour nous permettre des moments d'abstinence et il est bon de mobiliser ces réserves qui se reconstituent très vite.

La nourriture est un facteur important de notre équilibre et de notre bien-être. Vous nourrissant avec discernement, vous obtiendrez un tonus physique et mental multiplié qui vous surprendra.

Vous aurez la peau plus claire, l'oeil vif, le cheveu brillant, et l'intelligence plus souple, plus rapide. constipation et insomnie disparaîtront.

Vous deviendrez, pour vous-même et pour les autres, un compagnon plus agréable.

28

FAISONS LE POINT

Le dernier degré

Bien qu'on puisse extraire du yoga une infinité de directives, il nous faut nous limiter.

Le circuit que nous nous étions proposé de vous ouvrir est achevé.

Comment cela, pensera le lecteur, et le 8e degré ?

Nous ne l'avons pas oublié. Toutefois, nous ne nous étendrons pas sur cette étape ultime, non seulement parce qu'elle sortirait du cadre de notre étude, mais parce qu'elle ne nécessite pas autre chose que l'application des degrés déjà examinés.

En effet, l'identification (samadhi), ou suivant la traduction que vous en donne le docteur Ramurti Mishra : Sam = complète, a = entière et éternelle, Dhi = intuition, procède des trois étapes du travail intérieur accompli sur nous-même grâce à l'application de la détente parfaite (5e degré), la méditation (6e degré), la concentration (7e degré).

Cette identification ou intuition supérieure est une expérience personnelle dont seul celui qui l'a éprouvée pourrait parler. Généralement, il ne le fait pas.

A notre grand regret nous sommes obligés de convenir qu'il a raison, car cette expérience est inexprimable. Elle est la conséquence du développement de la faculté d'intuition à un stade tellement poussé que les problèmes individuels ne se posent plus. Ils sont fondus en un état momentané ou durable de compréhension tellement extraordinaire qu'il ne peut être saisi que par qui serait passé par la même expérience.

Cet état particulier de compréhension, ineffable, n'est atteint que par de rares, très rares privilégiés.

Voilà pourquoi nous ne pouvons que vous dire : continuez et par grâce et persévérance vous franchirez ce seuil. A ce moment vous n'aurez plus besoin de conseils, vous saurez. C'est la raison d'être profonde, le point de convergence, le carrefour de tous les yogas.

Comme la multiplicité des médicaments destinée à une même maladie, la variété des conseils et des méthodes pour atteindre cette connaissance prouve que chacun doit trouver le médicament, ou plutôt la voie qui lui convient. La plus simple est souvent la meilleure, notamment celle du perfectionnement poursuivi sans relâche, à chaque seconde de notre vie.

Nous vous avons débroussaillé des sentiers, suivez-les. Spécialement ceux indiqués aux chapitres : *Relaxation et yoga. Soyons à l'écoute de nous-même. Pratique de l'attention consciente. La maîtrise de la pensée. Notre pensée peut tout.*

Ces cinq chapitres représentent l'aspect intérieur du travail demandé ; les postures, les respirations, les règles d'hygiène physiques et morales représentent l'aspect extérieur.

Ces deux aspects se complètent et s'interpénètrent. Ne vous croyez pas dispensé de l'aspect extérieur, sous prétexte d'un moindre intérêt immédiat. Nous considérons que rien de solide ne peut être construit si l'on exclut l'un ou l'autre aspect.

Comme vous pourriez vous trouver désorienté

devant la tâche à accomplir, nous vous proposons un plan de travail moyen. Toutefois, ce ne sera qu'une indication minimum autour de laquelle vous règlerez votre progression, qui dépend exclusivement de vous et de vos possibilités physiques et de vos obligations.

Ce yoga s'adresse à chacun de vous et vous intéresse tous, quels que soient votre âge et votre santé. Vous y trouverez une ligne de conduite conforme à votre nature, répondant à vos besoins, des plus immédiats aux plus lointains, préparant même à la plus haute visée de cette méthode.

Votre entraînement

Dans l'Avant-Propos nous vous avons dit que le hatha yoga s'appuyait sur trois facteurs principaux :

- La respiration,
- Les postures,
- Le dosage de l'effort,

le tout régit par une attitude mentale attentive.

Tous les exercices, comme tous les actes de votre vie, doivent être accomplis avec la respiration correspondante, l'effort dosé, l'attention adéquate. Pour atteindre cela, procédez par paliers en suivant la progression proposée dans ce livre avec quelques variantes correspondant à vos possibilités que nous allons vous préciser.

Première semaine

Pour tous sans modification.

Commencez par l'étude et la pratique de la respiration naturelle (Chap. V), la respiration contrôlée (Chap. VI et VII), la recherche de la détente dosée (Chap. VIII).

Pendant huit jours ou plus, le matin ou le soir, pendant cinq à dix minutes, réglez votre respiration.

Utilisez les postures indiquées :

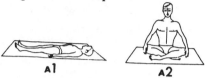

Deuxième semaine

Ces trois techniques une fois assimilées, vous pourrez passer à la première série de postures qui, physiquement, ne présente qu'une difficulté : la posture renversée (A8) pour les personnes âgées ou trop fortes.

Etudiez et pratiquez cette série pendant huit jours, même si elle vous paraît d'une grande facilité.

Schéma de la première série :

Commencez par la figure centrale A10, continuez par la figure A3, puis par A4 et ainsi de suite dans le sens des aiguilles d'une montre ; terminez par la figure A10. Consultez les pages 116 à 133.

Troisième semaine
Au bout d'une semaine, passez à la deuxième série. Celle-ci présente trois difficultés :

a) La posture du corps entier (A14),

b) La posture de la charrue (A15),

c) La posture du poisson (A16).

Ces trois postures peuvent être momentanément remplacées par :

1) La posture renversée (A8),

2) La variante sur le dos de la posture de l'étirement postérieur (A7),

3) La posture du cobra (A9).

Pour simplifier votre travail, nous vous proposons deux schémas, le premier avec les postures de base, le second avec les postures secondaires comme dans les schémas précédents, ils se lisent en partant du centre A2 vers les postures A3, A4, etc., dans le sens des aiguilles d'une montre.

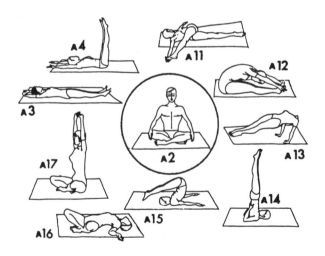

Série de base

Série secondaire

Quatrième semaine

La troisième série ne comporte que quatre postures qui se complèteront, dans l'ordre, par :

- Le 1er étirement sur le dos (A3),
- Le 2e étirement (A4),
- suivies de la posture du grand geste (A18),
- La posture de l'étirement postérieur (A12),
- La posture du corps entier (A14) ou renversée (A8),
- La posture de la sauterelle (A19),
- La posture de l'arc (A20),
- La posture de Matsyendra (A21) remplacée éventuellement par A5.
- Terminez par la montagne (A17).

Nota : Si la posture de l'arc est impossible, elle sera remplacée par la sauterelle (A19) même simplement esquissée, ou le cobra (A9).

Servez-vous de ces schémas de la même façon que pour la troisième semaine, c'est-à-dire commencez par la figure centrale et continuez par A3, A4, etc.

Série de base

Série secondaire

Cinquième semaine

Vous abordez la quatrième série qui n'offre que des difficultés de souplesse et d'équilibre sans importance et que tout le monde devrait surmonter.

Cette série est souvent considérée comme s'adressant aux débutants et pourrait être étudiée la première semaine.

Si vous la trouvez trop courte, complétez par la A14, A15, A16, ou leurs remplaçantes.

Commencez par A25 et suivez par A26, A27, etc.

Sixième semaine

Série "minute" pour gens pressés.

Le salut au soleil ainsi que la contraction totale peuvent remplacer une séance ou compléter une des séances précédentes en la débutant pour vous mettre en train.

Série "minute" pour gens fatigués.

Cette série, à laquelle vous pourrez ajouter une séance de décontraction (Chap. VIII), s'intègre, à votre choix, n'importe quel jour de la semaine et termine une séance ou la remplace.

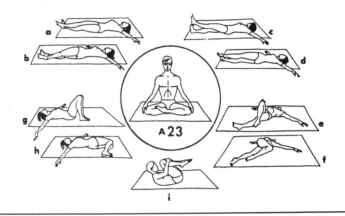

Crocodile

Salut au soleil et contraction totale

Septième semaine

Cette série spéciale ne comporte que trois postures. Dans la mesure ou vous le pourrez, étudiez-les et intégrez-les dans une séance.

Ou bien, faites en une séance courte comportant, après les étirements A3 et A4 :

1) La posture de la tête (A31) ou (A33) ou (A32) ;

2) La posture du corps entier (A14) ou (A8) ;

3) La posture de la charrue (A15) ou (A7) ;

4) La posture du cobra (A9) ou (A16) ;

5) La posture de l'étirement postérieur (A12).

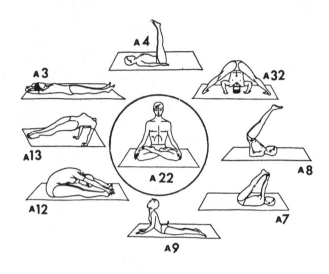

Série secondaire

Hors série - Détente   L'étude et la pratique de la détente, de l'attention et de la concentration avec exercices des yeux peut remplacer une séance ou la terminer, à partir de la troisième semaine.

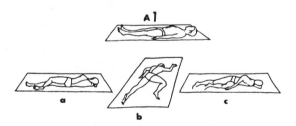

Hors série - Les pranayamas

Nous vous avons dit que les exercices respiratoires pouvaient remplacer une séance, nous le maintenons. vous pouvez donc étudier ces exercices comme nous l'indiquons au chapitre XX.

Série de base

Lorsque vous aurez surmonté vos difficultés et que vous vous serez familiarisé avec les exercices, sans avoir recours aux explications, voici une série faisant ressortir les postures de base.

Après les étirements A3 et A4 ou le salut au soleil, ou la grande contraction, qui peuvent à votre gré commencer cette séance, continuez ainsi :

1) Posture du grand geste (A18) ;
2) Posture de l'étirement postérieur (A12) ;
3) Posture de l'étirement antérieur (A13) ;
4) Posture du corps entier (A14) ;
5) Posture de la charrue (A15) ou (A8) ;
6) Posture du poisson (A16) ou (A9) ;
7) Posture de l'arc (A20) ou (A19) ;
8) Posture de Matsyendra (A21) ou (A5) ;
9) Posture de l'extension des pieds (A32) ;
10) Terminez par la posture debout (A25).

Et la posture sur la tête ?

Nous la classons hors série, et ceux qui peuvent la faire l'intercaleront tout de suite après les étirements (A3) et (A4), après un temps de repos complet.

Et les postures assises ?

Vous avez peut-être trouvé que nous n'en parlions pas beaucoup. Pourtant elles doivent commencer et finir toutes les séances avec les respirations préparatoires ou finales, c'est la raison pour laquelle nous en mettons une au centre de chacune des planches incluses dans ce chapitre.

Vous pouvez les travailles avec une séance de respiration, d'attention, ou à la fin d'une série normale.

Observations finales concernant les séquences "hors série"

Ces séquences, bien que pouvant intéresser tout le monde en raison de leur importance, retiendront plus ou moins votre attention.

Elles offrent l'avantage de pouvoir remplacer les postures inabordables momentanément ou définitivement pour les personnes âgées ou handicapées.

Elles peuvent alors constituer l'essentiel de l'entraînement pour ces personnes.

En effet, vous trouverez dans les exercices de détente, d'attention, de concentration, un antidote exceptionnel à vos soucis et vos misères physiologiques ou psychiques. Complétés par la pratique des respirations naturelles ou artificielles, il se suffisent à eux-mêmes.

29
ENTRE NOUS

Nous vous avons présenté un yoga pour chacun de vous. Bien qu'épuré et dépouillé de ses bizarreries, il reste très près de la tradition.

Il est certain qu'en élaguant des broussailles et des taillis on risque de couper les branches dont l'importance ne nous est pas apparue. L'arbre du yoga est vivace, ce ne sont pas ces mutilations involontaires qui le tueront.

De nombreuses méthodes-miracle ont vu le jour et se sont perdues dans l'oubli. Faisant la preuve de leur grande vitalité, les yogas ont traversé les siècles et les civilisations.

La diversité, la profondeur, la sagesse des yogas sont telles que chacun peut y trouver des éléments permettant d'équilibrer harmonieusement l'ensemble de sa vie organique, mentale et spirituelle.

Vous avez pu vous rendre compte que ce n'est pas un amusement de salon, ni une vogue passagère réservée aux blasés férus d'exotisme. C'est une éducation réaliste, parce que pratique et complète, dont vous n'avez qu'effleuré la richesse.

Ce yoga ne vous impose aucune renonciation à votre vie personnelle ni à vos affaires, mais, évidemment, il bouscule un peut votre apathie, vos habitudes, vos concepts.

Prendre un peu sur votre sommeil ou sur votre

temps pour vous occuper de vous et de votre santé est une contrainte qui sera payée par un approfondissement de votre vie.

Certes, cela peut être astreignant au début, mais devient vite une nécessité agréable si vous vous imposez de "vivre" vos exercices et non de les "faire".

Le mot yoga exprime sans doute le sens d'union, mais aussi celui de joug : "lourde pièce de bois servant à relier un attelage et, par extension, idée de contrainte" à laquelle on se soumet librement.

Ce livre ne s'adresse ni aux éternels grincheux insatisfaits des autres plus que d'eux-mêmes, ni aux esprits soi-disant forts qui n'ont besoin que de dures leçons de la vie, mais à tous ceux sans distinction de classe, de culture, ni d'âge, qui se préoccupent d'être toujours plus aptes à leur rôle d'être humain.

A quel âge peut-on commencer ?

Puisque le yoga est une éducation, il semble que débuter le plus tôt possible serait excellent. Malheureusement ce raisonnement est faux, car pour nous en Occident le yoga n'a pas la valeur particulière qu'il a en Extrême-Orient. Les enfants jusqu'à l'âge de quinze ans environ n'en profiteraient pas. Dépassée la période de curiosité pour les postures cela deviendrait vite une corvée, un devoir de plus et perdrait toute sa valeur. Un enfant a besoin de bouger, de courir, de marcher, de sauter. Toute méthode d'éducation physique pour enfant doit faire intervenir le jeu ou la compétition, ce qui n'est pas le cas du yoga.

En revanche, un adulte trouvera à n'importe quel âge de quoi s'occuper ; notre perfectionnement ne s'arrête jamais.

Il n'est pas de visées plus élevées que la recherche de notre amélioration tant morale que physique, cette dernière favorisant l'autre.

Maintenir un corps souple et résistant à la maladie ou à l'âge, garder un jugement sain, une volonté ferme, un esprit ouvert face aux problèmes de la vie, voici des bénéfices qu'on retire de cette pratique du yoga.

Nous parvenons aussi à réaliser une disponibilité de l'être, une mise en état de réceptivité attentive, telle que nous soyons "présents à nous-mêmes" en toutes circonstances au sein même d'une activité extérieure intense.

Ces chapitres n'avaient pour dessein que de vous ouvrir les chemins, vous donner les bases raisonnables d'une étude plus approfondie.

Puisez largement dans les sagesses de toutes les époques et de tous les lieux, tout en gardant le sens de la mesure et de la discrimination, afin de toujours discerner l'essentiel de l'accessoire.

Comme on prouve la marche en marchant, démontrez la valeur pratique de cette méthode : sa vérité doit se vérifier dans le moindre de nos actes.

Comme le guide vénérable des temps passés, nous vous avons donné le seau et la corde, indiqué le puits, c'est à vous maintenant d'y puiser l'eau.

TABLE DES MATIÈRES

INDEX

M

N

S

Y

Notes personnelles

Notes personnelles

Notes personnelles

Notes personnelles

Notes personnelles

Notes personnelles

Notes personnelles

Notes personnelles

IMPRIMÉ AU QUÉBEC